A Resposta é NÃO

Cynthia Whitham, MSW

A Resposta é Não

Dizer "não" sem ter que voltar atrás

M.Books

M.Books do Brasil Editora Ltda.

Av. Brigadeiro Faria Lima, 1993 - 5º andar - Cj. 51
01452-001 - São Paulo - SP - Telefones: (11) 3168-8242 / (11) 3168-9420
Fax: (11) 3079-3147 - E-mail: vendas.mbooks@terra.com.br

Dados de Catalogação na Publicação

Whitham, Cynthia
A Resposta é Não! - Dizer "não" sem ter que voltar atrás
2003 – São Paulo – M. Books do Brasil Editora Ltda.
1. Parenting

ISBN: 85-89384-07-1

Do Original: "The Answer is NO"

EDITOR: MILTON MIRA DE ASSUMPÇÃO FILHO

Produção Editorial
Ana Bimontti

Tradução
Melissa Kassner

Capa
Mario G. Mucida

Editoração e Fotolitos
J.A.G Editoração e Artes Gráficas Ltda.

2003
1ª edição

Agradecimentos

Eu quero agradecer à minha editora Linda Pillsbury, que me disse após meu primeiro livro, *Win the Whining War,* ser publicado: "Que tal uma seqüência? Estou pensando no título '*A Resposta é NÃO*'". Gostei bastante. Nunca houve um melhor relacionamento de trabalho e amizade do que o nosso. Linda: continue sonhando com grandes títulos que eu seguirei escrevendo livros.

Muito obrigada aos meus clientes e amigos, que sempre me abasteceram com histórias sérias e engraçadas sobre problemas familiares e suas soluções. Por favor, deixem que os filhos e os conflitos continuem surgindo.

Obrigada também aos amigos e colegas, que arrumaram tempo nas suas agendas e vidas lotadas para ler o manuscrito e fazer comentários: Della Bahan, Dave Bice, Tim e Eileen Bice, Valerie Cummings, Ph.D, Lesley Dewing, Laurel Hitchcock, Susan e Ron Lapekas, Suzanne Levanas, assistente social, Glenn Noreen e Patrice Yasuda, Ph.D.

Agradecimentos e muito amor às queridas amigas Masha, Della, Barb e Sally. O que eu faria sem vocês? Não está na hora de sairmos novamente, só nós, as garotas?

Todo meu amor para meus filhos, que tornaram a tarefa de ser mãe extremamente fácil.

Sumário

Por que Ter Este Livro

Você tem problemas em dizer "não" a seus filhos? Sente-se culpado, tem problemas em ser persistente, entra em contradição com seu companheiro ou tende a ficar sem argumentos para solucionar os problemas quando a briga esquenta? *A Resposta é NÃO: Dizer "não" sem ter que voltar atrás* é um livro que ajudará você a dizer "não" efetivamente. Cada família tem diferentes padrões. Umas acham que doces são intoleráveis, outras não suportam aborrecimentos nas lojas. Umas enfrentam problemas quando tentam tirar seus filhos da frente da TV, enquanto outras querem bom senso na hora de dormir. Neste livro apresento soluções aos 26 maiores desafios que os pais mencionam em minhas palestras e workshops ou tomo por base minha experiência como assistente social no Programa de Treinamento de Pais da UCLA (Universidade da Califórnia, Los Angeles).

"*A Resposta é NÃO*" lhe dá autonomia e não diz apenas que o correto é estabelecer limites, mas insiste que as crianças precisam de limites para ter sucesso. Quando os pais proporcionam uma estrutura consistente, esclarecem sobre as expectativas e explicam as respostas e as conseqüências das atitudes, as crianças são capazes de crescer de maneira mais saudável, feliz, responsável e em perfeita harmonia com os adultos.

Pense nos momentos em que as crianças devem ouvir um "não" de seus pais: quando querem um brinquedo do irmãozinho, insistem em jogar damas quando visitam um amigo que quer jogar futebol ou querem dormir na cama dos pais quando estes querem dormir sozinhos.

Quando os pais dizem "não", as crianças começam a aprender sobre os direitos dos irmãos, dos pais e dos amigos. Aprendem a encarar a vida por outros ângulos, sendo esse o primeiro passo para se tornarem pessoas agradáveis.

As crianças também precisam de limites em coisas ou experiências que simplesmente não são boas para elas, tais como doces em excesso, longas horas na frente da TV ou namoros prematuros. Sabemos que o melhor é dizer "não", entretanto nossos filhos acabam nos vencendo pelo cansaço com discussões e insistências. Ceder ao aborrecimento e ter explosões de raiva é muito prejudicial. Não se trata apenas de ir contra nossos princípios, mas também de passarmos a nossos filhos uma mensagem perigosa: se causarem bastante confusão, conseguirão o que realmente querem. Imagine suas crianças já adultas tendo chateação com uma de suas primeiras noções de convívio social.

Acho que as maiores batalhas dos pais ocorrem quando são ambivalentes sobre determinado comportamento e entram em conflitos de valores e opiniões. Querem ajudar a evitar um problema, estabelecendo limites suspeitos que acabam sendo desrespeitados. Querem ser amigos de seus filhos e não adversários, não querem dar a habitual resposta "não" a todos os pedidos e não querem ser redundantes dizendo "porque estou falando que não". Muitos cedem a pedidos, desejos e exigências muito mais do que gostariam (e mais do que seria bom para as crianças) ou concedem várias alternativas, quando, na verdade, precisam cobrar mais de seus filhos.

"A Resposta é NÃO" ajudará você com a ambivalência, dando-lhe a chance de medir seus valores, levar em conta as necessidades de seu filho e entender os sentimentos dele. Com a reflexão, você poderá estabelecer expectativas claras sobre o comportamento e estar preparado para direcionar e resolver os conflitos.

Como Usar Este Livro

Este não é um livro que você precisa ler do começo ao fim. Simplesmente vá ao capítulo que trata do problema que está vivenciando e encontre ajuda para dizer "não" e não voltar atrás.

A Resposta é NÃO ajuda você a aplicar as técnicas naquelas situações específicas que mais te aborrecem. A linguagem deste livro é clara, direta e objetiva, para que você consiga entender e aplicar facilmente as técnicas descritas.

Cada capítulo é dividido em três partes que abordam uma área específica do conflito com seu filho:

1. REFLEXÃO: Uma pequena discussão sobre um problema ou um dilema enfrentado pelos pais.
2. COMO CONSEGUIR...: Estratégias para conseguir o comportamento que deseja e evitar que os problemas reapareçam.
3. COMO DIZER "NÃO" E NÃO VOLTAR ATRÁS: O que fazer se seu filho entrar na chamada Zona de Conflito (você diz "não" e isso não funciona).

Artifícios como Castigos e Advertências estão em letra maiúscula e você encontrará mais explicações para cada artifício e técnica no Glossário. Utilize o Índice Remissivo para encontrar mais exemplos de como uma técnica específica pode ser aplicada. Exemplos de diálogos que você pode experimentar estão impressos em itálico.

Este livro vai servir como uma boa fonte de referência para a educação infantil. Leia sobre a idade de seu filho e saiba o que você pode esperar dele nesse estágio da vida. Aprenda sobre as responsabilidades que ele pode assumir e o quanto de independência precisa. Esta leitura ajudará você a compreender as "tarefas" de desenvolvimento de seu filho, aonde ele quer chegar e de que tipo de ajuda precisa.

Acredito que todos os adultos da casa precisam trabalhar juntos para mudar o comportamento de uma criança. Emprego o termo "companheiro(a)" para referir-me a seu(sua) marido(esposa), ex-marido (ex-esposa), pessoa com quem mora ou qualquer adulto que participe da educação de seu filho.

A maioria dos comportamentos serve tanto para meninas quanto para meninos, apesar de acreditar que a adolescência comece mais cedo para as meninas. Para evitar a confusão e a exaustão de ter coisas como "dele/dela" ou "deles" impressas, alterno entre "ele" e "ela" nos vários capítulos e exemplos. Faço o mesmo com médicos, professores, pais e assim por diante, e espero que ninguém se sinta excluído.

Se depois de ler *A Resposta é NÃO: Dizer "não" sem ter que voltar atrás* você não sentir melhora nas situações problemáticas, isto é, ter feito de tudo para ser firme com relação a seu "não", mas, mesmo assim, seu filho estiver se tornando um adolescente problemático, que não respeita suas decisões finais, então procure a ajuda de um profissional especialista em comportamento infantil.

Sempre Não

Existem algumas coisas na vida que são inaceitáveis. Se você consegue se imaginar em uma situação na qual tolere mordidas, mentiras, brigas no carro ou péssimos modos em companhia de outros, este livro não é para você. Vá até a loja e peça reembolso.

1
Morder

O PROBLEMA:

Seu filho morde. Não apenas você (possivelmente, você seja capaz de lidar com isso), mas também seus amiguinhos do berçário. Você precisa de ajuda agora mesmo.

REFLEXÃO:

Não há dilema aqui. Seu filho passou claramente dos limites e você sabe quais são as regras: por mais que sejamos insultados, importunados ou fiquemos a ponto de explodir, morder é o "Número Um" do ranking dos "Não-Não".

Você já deve ter ouvido falar que algumas crianças mordem por ainda não serem capazes de expressar com palavras suas frustrações e angústias. Se o brinquedo de uma criancinha é tirado à força por outra, ela não tem habilidades sociais para dizer: *"Você pegou meu caminhão e isso me irrita. Me devolva agora mesmo!"*. Se está sendo intimidada por uma criança mais espertinha, que a insulta quando ninguém está olhando, partirá para o ataque sem pensar duas vezes.

À medida que seu filho amadurece, seu objetivo será ensiná-lo a expressar os sentimentos de angústia por meio "de palavras"; ensine-o a se expressar sem ser agressivo e peça ajuda a professores e parentes se necessário. Ele também precisa aprender que "nem sempre conseguirá o que quer" exatamente no instante em que deseja. Quando seu convívio social for maior, será preciso esclarecer sobre as conseqüências diretas do ato de morder.

GUARDE "SEU DENTE PARA VOCÊ MESMO":

1 Deixe seu filho à vontade para correr, subir, pular e brincar até se cansar. Isso poderá reduzir seu excesso de energia e tensão.

2 Se seu filho começar a ser agressivo nas brincadeiras, convide apenas um amigo de cada vez para brincar por determinado período. Será preciso ficar de olho nos dois, tentar distraí-los e redirecionar as brincadeiras.

3 Elogie seu filho quando brinca bem com os outros, divide brinquedos ou é prestativo. Prefira palavras em vez de atitudes, ou diga que poderá brincar novamente qualquer outro dia:

> *Você foi muito bonzinho ao brincar com o Pedro hoje. Gostei de como você compartilhou as peças do jogo e os cavalos.*

4 Observe a si próprio. Como administra suas frustrações? Se você se esquiva ou não consegue administrá-las, estará ensinando seu filho a fazer o mesmo.

COMO DIZER "NÃO" E NÃO VOLTAR ATRÁS:

1 Quando seu bebê de colo mordê-lo, tente não gritar. Deve ser muito divertido fazer a mamãe ou o papai arregalar os olhos, respirar fundo e gritar: *"Ah, seu pestinha, você me mordeu!"*. Tenha cuidado para não recompensá-lo com sua atenção, rindo (não será bonitinho por muito tempo) ou gritando. Apenas desvie o olhar e se controle.

2 Quando seu filhinho morder você, apenas olhe para ele e dê uma Ordem firme: *"Não morda!"*. Isso poderá ser o suficiente para fazer com que pare.

3 Estabeleça Conseqüências claras caso volte a morder. Antes de ir ao parque ou à casa de algum amigo, advirta-o.

> *Se você morder, iremos embora.*
>
> Se morder, junte as coisas e vá embora.

4 Nunca morda de volta, pois isso nunca fará com que a criança pense no que fez: "Meu Deus, dói quando o papai me morde. Acho que não deveria fazer isso com os outros!". No momento de frustração e fúria, seu filho não dará a mínima para a relação causa e efeito entre morder e a dor do outro, acredite.

5 Quando seu filho morder em casa, dê a ele um Castigo:

- Escolha um lugar para o Castigo, como uma cadeira de canto na qual fique isolado, mas que esteja disposta de modo que você consiga ficar de olho nele. Para uma criança de dois anos é possível utilizar o chiqueirinho ou o berço.
- Estabeleça um tempo para o Castigo. Para uma criancinha, 45 segundos podem ser uma eternidade.
- Utilize um despertador para marcar o tempo, assim o controle do tempo não dependerá de você.
- Assim que ele morder, diga: *"Não morda. Fique de Castigo nesta cadeira até o despertador tocar!"*.
- Dê as costas e vá fazer suas coisas. Não fale, não olhe nem toque nele. Ignore quando ele tentar distraí-lo caindo da cadeira, chorando, fazendo barulhos ou perguntando sem parar quanto tempo falta para acabar o Castigo.
- Quando o despertador tocar, diga de maneira simples e calma: *"Seu Castigo acabou. Pode sair da cadeira!"*.

6 JAMAIS faça carinho ou console seu filho se ele chorar durante ou depois do castigo. Isso apenas minimizará a efetividade do Castigo.

Uma família procurou-me com o seguinte dilema: a filha de dois anos, Cecily, tinha sido expulsa do berçário por morder e arrancar sangue diversas vezes em uma semana. Os pais e os professores disseram que estavam aplicando Castigos.

Descobri que em casa a mãe terminava o Castigo pegando Cecily no colo e a confortava. Instruí os pais a terminarem o Castigo de modo diferente. Eles passaram a anunciar: *"O Castigo terminou!"*, tiravam a menina do chiqueirinho e delicadamente a colocavam no chão. Se Cecily agarrasse as pernas ou as roupas da mãe, esta se soltava e seguia para qualquer outra atividade, como lavar a louça ou arrumar as gavetas. Seguiu, então, ignorando bagunças e agarrações. Assim que Cecily começou a demonstrar sinal de bom comportamento, a mãe voltou a dar a atenção devida. Em uma semana as mordidas cessaram.

7 Não confunda dar uma lição com dar uma Conseqüência. Os pais freqüentemente querem dar explicações aos filhos sobre por que morder é ruim e como machuca as outras crianças. Querem falar com as crianças sobre outras maneiras de expressar angústias. No momento do conflito, entretanto, a criança estará muito brava ou constrangida para conseguir entender qualquer lição de convívio social. Ela estará muito mais receptiva em um momento mais tranqüilo, antes de ir para cama, por exemplo, quando está bem mais calma.

Talvez você encontre auxílio em diversos livros destinados a ensinar as crianças sobre sentimentos e como lidar com eles. Poderá ser ainda mais útil ensiná-las a tomar outras atitudes em vez de morder. Faça um teatrinho daquilo que seu filho deverá fazer (se afastar) ou dizer ("Não gostei disso!") se o Alfredinho chamá-lo de cabeça-de-bagre novamente.

8 Se seu filho está mordendo na escola ou no berçário, certifique-se de que os professores e os funcionários estejam aplicando o Castigo corretamente.

No exemplo anterior, o Castigo da Cecily na escola significava ir para a sala do diretor. O diretor conversava com ela sobre como morder machucava e dizia que quando estivesse aborrecida deveria falar.

O problema não estava na mensagem, mas no fato de o diretor dar exatamente o que Cecily queria – atenção –, quando, na verdade, não deveria ter nenhuma. As crianças morderão ou baterão mais se a "punição" do Castigo for, de fato, o privilégio de ter uma conversa particular com o diretor da escola.

Se a escola não aplicar Castigo de jeito nenhum, ou se insistir em aplicá-lo incorretamente, defendendo que seus métodos funcionam com outras crianças que se comportam mal, você deverá mudar seu filho de escola. Não importa o que funciona com outras crianças, mas sim o que funciona com seu filho.

Felizmente, o Castigo aplicado de maneira correta é um método que funciona quase sempre quando os demais fracassam.

2
Brigas no Carro

O PROBLEMA:

Seus filhos brigam, disputam, irritam, fazem imitação uns dos outros ("Mamãe, ele está me imitando!"), reclamam, se cutucam, gritam, fazem caretas, brigam pelos jogos e pelo assento. Você quer se ver livre das brigas das crianças pelo menos quando está dirigindo! Será que é pedir demais?

REFLEXÃO:

O que há para refletir? Nada. Está claro que tem todo o direito do mundo de ter uma viagem razoavelmente tranqüila quando está conduzindo seus filhos de determinado ponto a outro. Viagens de qualquer distância podem levantar comentários como: "*Quanto tempo vai levar para chegar? Tá muito chato!*", e o mais conhecido: "Já tá chegando?". Em pouco tempo, eles vão aliviando o tédio torturando um ao outro e a você também.

Não tenho a menor dúvida de que, muito antes das cadeirinhas de bebê saírem de linha, a divisão de vidro que abre e fecha para separar os assentos dianteiros dos traseiros (que desapareceu na década de 50) voltará. Mas, até lá, continue lendo para descobrir algumas dicas de como tornar suas viagens mais tranqüilas.

COMO LIVRAR-SE DO CONFLITO (tudo bem, tudo bem, reduzir o conflito) NAS VIAGENS DE CARRO:

1 Elogie seus filhos no exato momento em que estiverem se comportando bem. Elogie particularmente se estiverem demonstrando paciência ou se estiverem se dando bem.

2 Leve jogos para as viagens de carro. Existem belos jogos de adivinhação que são fáceis de encontrar em livrarias e que manterão os olhinhos pregados à procura de sinais, pontos de referência, carros, pontes e assim por diante. Junte alguns brinquedos próprios para viagem, tais como pequenas lousas e um pouco de giz para brincarem de jogo-da-velha, um videogame portátil ou um *walkman*. Se as crianças conseguem ler no carro, leve muitos livros para suportarem aqueles enormes congestionamentos ou, então, pare e diga: *"Vamos encostar para dar uma olhada no mapa!"*.

3 Leve lanches e bebidas para viagens mais longas e sempre carregue água. Alguns pais carregam produtos não-perecíveis no porta-luvas, como amendoins, salgadinhos ou biscoitos para a viagem da escola ou do berçário para casa.

4 Em viagens muito longas, planeje fazer pequenas paradas para descansar. Podem ser curtas o suficiente para esticar as pernas, respirar um pouco de ar e apreciar a paisagem. Se você estiver em uma viagem de muitas horas, não tenha como objetivo chegar lá o quanto antes. Você pode fazer uma pausa para uma pequena visita a um museu ou outra atração.

5 Faça um acordo. Em uma viagem de quatro horas para a praia, dei a meus filhos as seguintes escolhas:

> *"Podemos ir direto para a praia, com uma ou duas paradas rápidas para comer, abastecer e ir ao banheiro, e chegar lá antes de anoitecer, assim ainda poderão nadar; ou podemos fazer várias paradas e chegar lá depois de escurecer. Vocês escolhem, mas, se escolherem ir direto, precisarão ser pacientes e não brigarem um com o outro."*

Meus filhos escolheram ir direto e, com alguns Lembretes, não brigaram. Quem poderia imaginar?

Se não tivessem chegado a um acordo, decidiria por eles ou tiraria no "cara ou coroa".

6 Permita que seus filhos descarreguem as frustrações de maneiras diretas e sem choramingar (com palavras). Se suspirarem e disserem: *"Tá demorando uma eternidade para chegar!"*, responda: *"Sim, é uma longa viagem. E agradeço a paciência de vocês!"*. Se a mesma queixa surgir com choramingos, berros ou grosserias, apenas ignore o comentário.

7 Faça pequenas surpresas quando se comportarem bem. Embora não recomende oferecer alimentos como prêmio ou incentivo constante, uma parada para um sorvete no meio de uma viagem longa e quente pode inspirar ainda mais cooperação.

8 Uma observação sobre o uso do rádio: sou um pouco mandona em relação a isso. Acho que o rádio é um instrumento para ajudar o motorista (veja bem onde ele fica!).

Os pais sempre querem fazer com que os filhos gostem primeiramente de seus cantores favoritos. Dei a meus filhos "prêmios em moedas" por serem capazes de identificar as melodias de Smokey Robinson, Beatles, Aretha, James Brown ou Righteous Brothers que tocavam na minha estação preferida de músicas antigas. Claro que prefeririam uma estação pop, mas sentaram para cantar com a mamãe e limparam cada centavo do bolso dela com as adivinhações.

Se você quiser ser democrática quanto ao uso do rádio, tudo bem. Alterne estações e fitas. De um lado a irmã pode ouvir seu rap, de outro o irmão pode ouvir seu rock. Depois é a sua vez. Ou invista em rádios ou toca-fitas com fones. Você pode "cair na estrada" com cada um ouvindo o que gosta.

COMO DIZER "NÃO" E NÃO VOLTAR ATRÁS:

1 Se, do banco do motorista, você tiver a sensação de que o tumulto vai começar, não implore ou suplique nem ameace. Simplesmente dê uma Ordem apropriada:

Parem com a guerra de mãos.

Mantenham o tom de voz baixo, por favor.

Se vocês não conseguem brincar com esse jogo sem fazer confusão, vou guardá-lo por quinze minutos.

2 Se obedecerem, elogie-os imediatamente. Continue a fazer isso periodicamente.

Obrigada, crianças, por pararem a guerra de mãos.

Está muito silencioso aí atrás, estou gostando de vê-los falar em voz baixa.

Esse jogo parece bem divertido, estão brincando com ele há horas.

Pense em uma pequena recompensa ou privilégio para celebrar a paz pelo resto da viagem.

3 Se continuarem a guerra, sua próxima Ordem pode ser não-verbal. De maneira simples e calma, pare no acostamento, desligue a ignição e espere. Quando suas crianças ficarem quietas, simplesmente diga: "*Obrigada!*", ligue o carro e saia.

Se exigirem que você dirija ou que se explique, diga: "*Quando pararem com a guerra de mãos, então seguirei!*". Quando finalmente ficarem quietos, você pode dizer: "*Obrigada!*" e ligar o motor.

A propósito, se seu filho mais novo tira o cinto de segurança e começa a escalar o banco, a tática de parar no acostamento funciona muito bem com os mais novos também.

É uma boa idéia sair cinco ou dez minutos mais cedo quando planeja utilizar essa excelente Técnica de Ignorar.

4 Talvez precise fazer essas "paradas e partidas" mais de uma vez para demonstrar o que pretende. Novamente, com calma, encoste na estrada. Não demonstre angústia nem frustração. Quando as crianças pararem de perturbar, agradeça-as e volte a dirigir.

5 Talvez não tenha tempo para parar o carro. Se ficarem reclamando uma da outra, apenas ignore ou anuncie: "*Vocês que se resolvam!*". Se a briga aumentar, seu próximo passo é dar a Advertência de uma Conseqüência. Para ser efetiva, a Conseqüência deve ter forte significado para a criança e você deve ter controle sobre ela.

Certa vez, em uma de minhas palestras, uma das mães disse que utiliza a seguinte Advertência com sucesso: "*Se vocês não ficarem quietas, crianças, cantarei músicas antigas!*". Outras possíveis Advertências de Conseqüências são:

Joey, pare já com a guerra de mãos ou o amarrarei aqui na frente comigo.

Abaixem suas vozes ou irão quinze minutos mais cedo para a cama hoje.

Se falarem palavrões de novo, serão multados em quinze centavos por palavra.

Parem de brigar ou voltaremos para casa. (Somente se você estiver com vontade de voltar.)

Quem bater no outro descarregará o carro sozinho.

Garanta o cumprimento da Conseqüência quando merecerem.

6 Se existe o problema de brigas crônicas no carro e as saídas familiares estão inspirando pensamentos suicidas, então faça um Teste:

- Planeje uma saída que requisite uma viagem de meia hora de carro com o intuito de fazer uma atividade de que as crianças gostem (jogar minigolfe, boliche, caminhada, ir à praia), mas não precise comprar ingressos com antecedência.
- Antes de entrar no carro, sente com suas crianças e olhe nos olhos de cada uma delas e estabeleça claramente três regras de comportamento, tais como:

  Não provoquem um ao outro, e isso significa não imitar nem fazer caretas ou xingar.

  Guardem suas mãos, pés e todas as outras partes do corpo dentro do carro.

  Falem em tom de voz normal; não gritem.

- Dê uma Advertência de Conseqüência:

  Se qualquer um de vocês quebrar as regras, daremos meia-volta e iremos direto para casa.

- Certifique-se de que tenham entendido as regras e a Conseqüência.
- Esteja preparada para dar meia-volta. De fato, pode até ser uma coisa boa; afinal, se levar as crianças de volta para casa, poderá ir sozinha ao cinema!
- Comece a dirigir. Agradeça se depois de alguns minutos eles cooperarem com as regras.

- Se quebrarem as regras, não diga uma só palavra. Dê meia-volta e vá direto para casa. Ignore todos os protestos. Quando chegarem em casa, não proporcione outras diversões. Deixe que se virem para tomar um lanche: *"Há frutas, queijo e geléia na geladeira e pão no armário, crianças!"*. E, pra você... tome um bom banho e leia um bom livro.

Acho que você não terá mais tantos problemas com brigas no carro!

3
Mentiras

O PROBLEMA:

Sua filha distorce o assunto, evita a verdade ou mente para você. Seria possível tolerar qualquer outro comportamento, mas não mentiras. Você simplesmente exige que sua filha seja honesta.

REFLEXÃO:

Não há muito o que refletir sobre mentiras. Mentir é, sinceramente, o comportamento que leva todos os pais à loucura.

As mentiras começam espontaneamente. Crianças nos primeiros anos de vida não diferenciam facilmente a fantasia da realidade; suas verdades e seus desejos acabam se confundindo. É comum que uma criança pequena descreva algo de que sinta saudades como se fosse uma coisa que já tivesse possuído ou que deseja fazer como se já tivesse feito.

Mais tarde, as crianças falam mentiras para se manterem afastadas dos problemas. Podem ter farelos de biscoitos por todo o rosto, mas ainda assim afirmam com toda a honestidade: *"Não peguei nenhum biscoito!"*. Esperam que dizendo *"Não fiz!"* ficarão livres da punição. Esperam tanto que, às vezes, acreditam em sua própria inocência.

Mentir não é apenas uma estratégia ruim (a verdade sempre aparece), mas é também um dos comportamentos mais inaceitáveis da vida. Leia a seguir algumas idéias de como acabar com as mentiras.

COMO CONSEGUIR SOMENTE A VERDADE:

1 Fornecendo modelos de responsabilidade. Mencione o exemplo de alguém que não tem medo de dizer a verdade e encarar as conseqüências.

Se alguém grita da cozinha: *"Quem acabou com o leite? Eu ia usar para fazer biscoitos!"*, seria muito bom para a criança ouvir o pai respondendo algo como: *"Desculpe, querida, não sabia que você iria precisar. Terei o prazer de comprar mais!"*.

2 Fornecendo modelos de honestidade. Se alguém telefonar e você não quiser falar com essa pessoa, não peça para sua filha ou esposa mentirem. Ao invés disso, peça para sua filha dizer: *"Meu pai está ocupado e não pode atender agora. Posso pedir a ele para ligar depois?"*.

3 Não minta para seus filhos. Se perguntarem sobre alguma coisa da qual não pode dizer a verdade (algo que não entenderiam ou que os confundiria ou assustaria), responda dessa maneira: *"Isso é uma coisa que seu pai e eu precisamos manter em segredo!"*.

4 Se está preocupada com as fantasias e os desejos de sua filha na idade pré-escolar (embora não ache que deveria estar), é preciso reajustar as fantasias à realidade: *"Você não tem um cavalo, mas tenho certeza de que gostaria de ter um, não é?"* . É possível ajudar ainda mais ensinando a diferença entre "fingimento" e "realidade".

5 Utilize fábulas e contos de fadas para impressionar seu filho sobre a importância da verdade. *Pinóquio* e *O Patinho Feio* apresentam claras conseqüências do ato de mentir.

6 Recompense a verdade. Se sua filha vem até você e conta que aconteceu algo ruim (quebrou algo, perdeu alguma coisa, se meteu em encrencas na escola), aproveite essa oportunidade para elogiá-la.

> *Não estou contente com o que você fez hoje, mas gostei de ter sido corajosa em vir me contar.*

Sua filha não terá medo de dizer a verdade, pois você soube administrar a situação muito bem!

7 Pode ser que sua filha minta para chamar sua atenção: não alimente isso. Demonstre interesse em pequenas coisas e elogie-a no sucesso do dia-a-dia.

Disponha de algum tempo à noite para que ela se abra e fale honestamente sobre como foi o dia.

COMO DIZER "NÃO" E NÃO VOLTAR ATRÁS:

1 Não interrogue. Se você está quase certa de que sua filha fez alguma coisa que a aborrece, prefira fazer uma afirmação, em vez de cansá-la com perguntas. Quando uma criança sabe que está em apuros, já estará chateada e preocupada o suficiente. Ficará tentada a mentir para se livrar da punição. (Você já foi parada por um policial quando violou uma lei de trânsito? Tentou se justificar? Realmente admitiu a culpa?)

Melhor do que dizer: *"Vocês quebraram a janela do Sr. Hill quando estavam jogando bola?"*, diga: *"Crianças, vocês quebraram a janela do Sr. Hill quando estavam jogando bola. Vamos pegar o Jeff e o Frank e nos desculpar com o Sr. Hill!"*.

2 Se descobrir que sua filha mentiu, aplique uma Conseqüência, que pode ser a perda de um privilégio que tenha forte significado para ela; sobre o qual você tenha controle; que esteja com vontade de aplicar; e que tenha o mínimo de duração.

Seria ideal se houvesse uma conexão entre a mentira e a Conseqüência.

Por exemplo, se mentir sobre ir brincar fora dos limites que você estabeleceu, a Conseqüência poderá ser brincar dentro de casa a tarde toda.

3 Uma vez que as crianças mentem para evitar a punição, estabeleça a seguinte regra: se mentir para acobertar um mal comportamento e for descoberta, serão aplicadas duas Conseqüências, uma pelo mal comportamento e outra por ter escondido a verdade.

4 Se sua filha insiste que não fez algo, mas você está quase certa de que o fez, evite o bate-boca se conseguir. Ela pode insistir tão intensamente que você venha a acreditar na inocência dela. É preferível que a mãe se engane punindo quando não deveria, do que alimentando uma criança com um problema crônico de mentir. Você poderia dizer: *"Talvez não estivessem jogando bola no momento exato em que a janela do Sr. Hill foi quebrada, mas a janela dele foi quebrada ontem e você e os demais estavam jogando bola nesse dia. Se descobrir que cometi um engano, me desculparei, mas, por enquanto, precisamos esquecer e consertar a janela do Sr. Hill!"*.

5 Uma criança que mente pode descobrir que, assim como na história do *Patinho Feio*, uma única vez que disser a verdade ninguém acreditará. Explique que, embora saiba que ela está se esforçando bastante para dizer a verdade, como mentiu no passado, nem todos estarão dispostos a acreditar. Será necessário um pouco mais de tempo.

4
Comportamento Ruim no Restaurante

O PROBLEMA:

Você sai para comer em um restaurante com a família ou os amigos. Seu filho se recusa a sentar no devido lugar ou a comer o que pediu. Exige refrigerante quando sua regra é água, leite ou suco e interrompe as conversas dos adultos continuamente, embora haja outras crianças sentadas à mesa. Ele quer que você vá a um restaurante diferente ou fica metade da noite sentado em seu colo. Você gostaria de curtir a refeição e a companhia, não deseja ter e de contratar uma babá para deixar o filho mais novo em casa.

REFLEXÃO:

Aqui, estamos falando de algo mais do que chutar por debaixo da mesa ou ter péssimas maneiras à mesa. Estamos falando do que parece ser um complô para arruinar sua noite. Você está com a família, os parentes ou os amigos. Talvez esse passeio seja uma rara oportunidade ou uma ocasião especial e, simplesmente, você não quer que seu filho arruíne tudo.

Um comportamento específico é imprevisível. Ele pode querer comer algo que não faça parte do cardápio de crianças (o qual geralmente adora, mas sua carteira não). Quando a comida chega, de repente não parece estar do jeito que ele gosta. O macarrão com queijo está muito sem graça, o molho do espaguete tem cogumelos ou o feijão não é do tipo preferido. Ele está zangado e escolhe justamente o momento em que você está mais vulnerável, comendo fora com a família ou os amigos.

Você tenta acalmá-lo, mas sem sucesso. Se ceder a seu plano de se sentar onde bem entende, ele causará conflitos com relação ao cardápio. Se ceder às exigências de comida, ele brigará pela sobremesa. Se ceder à sobremesa, ele interromperá suas conversas. Você tenta se desculpar pelo comportamento dele; seu filhinho não a viu o dia todo ou deve estar muito cansado. Já passou muito de sua hora de jantar e deve estar faminto. Na verdade, todos estão cansados e famintos e ele é o único que está fora do controle.

Deixe-me confortá-la: você tem o direito de fazer uma refeição sem estresse com amigos ou familiares e de exigir um bom comportamento de seu filho quando estiverem em público. No entanto, ele precisa de sua ajuda para melhorar os hábitos em restaurantes; então, utilize o plano a seguir.

COMO TER UMA REFEIÇÃO AGRADÁVEL EM RESTAURANTES COM AS CRIANÇAS:

1 Desde cedo, espere um bom comportamento de seu filho. Estabeleça regras claras para restaurantes: comer com os talheres, mastigar com a boca fechada, falar somente quando a boca estiver vazia, não ficar sacudindo mãos e pés, pedir as coisas que estiverem passando sem cutucar as pessoas, apenas dizer "por favor" e "obrigado", ser educado com os funcionários do restaurante, aceitar as limitações do cardápio e de sua carteira e (sim, receio que tenhamos de mencionar isso também) não arrotar alto nem fazer outros barulhos com o corpo.

2 Pratique as regras em restaurantes *fast food* simples e familiares. Em ocasiões especiais, vá a restaurantes mais formais, nos quais as crianças sejam bem-vindas. Elogie e até mesmo dê prêmios por excelentes comportamentos sempre que for o caso. Se seu filho quebrar uma regra, dê uma Conseqüência. As Conseqüências podem variar desde fazer com que seu filho saia da mesa para um Castigo até levá-lo de volta para casa (a qualquer momento).

3 Estabeleça expectativas similares para seu filho quando visitarem amigos em churrascos, reuniões informais ou jantares. Você pode praticar dando Conseqüências entre amigos, onde sua atitude será apoiada.

4 Se seu filho tende a se comportar mal quando estão fora, avalie a situação. Ele está cansado? Está faminto? Quer sua atenção porque você trabalhou o dia todo? Vocês estão com crianças que ele não suporta?

Pense e decida como evitar essa situação da próxima vez:

- Planeje um cochilo para as crianças que ficam com sono cedo.
- Dê um sanduíche no carro para as crianças que sentem mais fome.
- Convide um amiguinho dele para ir junto.
- Sugira uma disposição mais viável à mesa (a comida a seu lado e a sobremesa ao lado das crianças).

5 Leve alguns brinquedos silenciosos para o restaurante como distração: livros coloridos e lápis de cor, um pacote de cartas, uma caixinha de plástico com figurinhas, retratos ou livros ou pequenos *games* portáteis.

6 Esteja ligada às necessidades das crianças. Por exemplo, com as de quatro anos, a rotina é sua maior aliada. Vá a um restaurante simples e familiar aonde vai com regularidade. Sente-se no mesmo saguão, faça o pedido ao mesmo garçom simpático e não se esqueça da gorjeta, para que ele se lembre de cumprimentar as crianças e trazer biscoitos, lápis de cor ou brinquedinhos para elas.

Pense em piqueniques ou refeições informais se seu filho está naquela fase notória em que se espera que seja uma peste em público.

7 Se seu filho geralmente coopera bem nas saídas, mas tende a ter problemas com um familiar, parente ou convidado em especial, acho que não custa nada usar um pouco de Espelho para fazer com que saiba que você entende seu desconforto:

> *Sei que é difícil para você quando temos de comer fora com os Jones e aquela Wendy gruda em você feito cola; sei que você odeia isso.*

Você pode ir além e perguntar o que pode fazer para facilitar as coisas no jantar:

> *O que você acha que eu poderia fazer para ajudar? E se você e o Simon se sentassem um ao lado do outro e a Wendy se sentasse ao lado do pai dela?*

8 Novamente, com uma criança que em geral coopera, mas precisa de um pouco de inspiração para superar uma ocasião de desafio, utilize a oferta de um Acordo Quando/Então:

> *Se você conseguir se sair bem durante o nosso almoço com os Jones, terá a tarde livre para brincar com qualquer amigo que escolher.*

9 Dê um Lembrete; todas as crianças precisam deles. No carro, a caminho do restaurante, anuncie duas ou três regras fundamentais e dê um breve Lembrete novamente quando entrar no restaurante. Em poucos minutos, antes mesmo que seu filho tenha tido tempo de fazer qualquer coisa, exceto ser maravilhoso (assim espero), elogie-o por estar cooperando com as regras. Continue a fazer isso durante a refeição.

10 Faça um Teste para conseguir que as idas aos restaurantes funcionem. Testes são menos estressantes, pois você sabe que não passam de uma encenação, mas têm todos os benefícios de Vida Real para as crianças. Os passos para um Teste de ida aos restaurantes são:

- Escolha um restaurante barato do qual as crianças gostem (*fast food* são ideais). Coma antes de sair de casa.
- Anuncie as regras para o passeio:
  Deixe os pés parados (não chute por baixo da mesa).
  Fique sentado até todos terminarem.
  Não comece a implorar por besteiras, tais como milkshakes, sobremesas e frituras.
- Dê uma Advertência: *"Se você quebrar uma das regras, nós vamos embora!"*.
- Deixe que as crianças façam seus próprios pedidos (dentro do combinado) e peça café ou qualquer outra bebida. (Lembre-se de que você já comeu antes de sair de casa.)
- Elogie as crianças quando estiverem seguindo as regras.
- Quando uma delas quebrar uma regra, levante-se calmamente e anuncie: *"Você não cumpriu o combinado. Vamos embora!"*.
- Pegue seu café e caminhe direto para a porta. Fale para si mesma que suas crianças estão prestes a aprender uma valiosa lição. Se protestarem por causa da comida, diga: *"Desculpem, mas vocês sabem que não podem comer no carro. Há fruta, queijo e pães em casa!"*. (Se não se incomodar, deixe que peguem uma parte da refeição, desde que possa ser comida no carro sem fazer sujeira.)

- Se suas crianças se desculparem, diga algo firme, como: *"Desculpas aceitas. Espero que se esforcem mais da próxima vez!"*. Evite a tentação de passar um sermão ou parar, continue andando, olhando para frente.
- Se as crianças culparem umas às outras, não sinta culpa. Lembre-se de que, em geral, é você que carrega o peso da culpa.
- Alimente este pensamento: os pais quase nunca precisam repetir o Teste, uma vez que o tenham aplicado corretamente.

COMO DIZER "NÃO" E NÃO VOLTAR ATRÁS:

1 Quando seu filho expressar negatividade pela primeira vez, vamos supor que se recuse a sentar no restaurante e diga: *"Não tem nada aqui de que eu goste!"*, apenas ignore o comentário. De maneira bem calma, volte ao cardápio e comece a discutir com os adultos sobre qual comida pedir ou, melhor ainda, pergunte a uma outra criança que se comporta melhor: *"O que você gostaria de comer?"*. Ignorar seu filho e dar atenção a uma criança que coopera é a melhor maneira de ajudá-lo a se juntar novamente ao grupo. Talvez seja preciso ignorá-lo por alguns minutos para que volte a se sentar. Para não dar o braço a torcer, é provável que se sente vagarosamente. Apenas ignore e espere.

2 Assim que se sentar, dê a ele atenção (não olhe triunfante ou com ar de vitória). Este provavelmente não é momento para fazer uma pergunta que poderia ser respondida com um simples *sim* ou *não*; perguntas do tipo *"Freddy, o que acha de seu prato predileto: macarrão com queijo?"* poderiam ser respondidas com um "não" irritado, pois ele está bravo e não vai querer concordar com você. De preferência, faça um comentário de Convite de Volta à Família, uma afirmação simples e direta, com voz suave, para que sinta que, da sua parte, tudo está resolvido. Um exemplo poderia ser: *"Freddy, há um ou dois pratos aqui de que você deve gostar: macarrão e lasanha!"*.

3 Talvez se sente de uma só vez, de maneira barulhenta e se recusando a escolher uma refeição. Se isso acontecer, ignore seu mau humor. Quando o atendente olhar para seu filho, fale de imediato: *"Diga ao garçom o que deseja comer!"*.

Se ele não disser nada, diga com calma e firmeza: *"Parece que prefere que eu peça por você!"*. Dirija-se ao garçom e peça alguma coisa que sabe que seu filho gosta. Caso ele a interrompa para fazer seu próprio pedido, mesmo que seja em tom irritado, tudo bem. Diga *"Boa escolha!"* e volte sua atenção a outra pessoa ou ao cardápio. Se for rude com o atendente, interfira, pedindo desculpas, e faça o pedido por ele.

4 Se seu filho não se sentar logo ou der sinais de que pretende quebrar alguma regra, escolha uma Conseqüência. É melhor aplicar uma Conseqüência imediata, como um Castigo no saguão de espera ou no carro.

Vamos avaliar o potencial da efetividade dessa Conseqüência:

- Ter um Castigo tem forte significado para seu filho?
  Sim, a maioria das crianças de dois, três até doze anos vê Castigos como punição.
- Você tem controle sobre a Conseqüência?
  Sim, se você se levantar da mesa, olhá-lo nos olhos e disser: *"Venha comigo de Castigo!"*, ele irá. Se não o fizer, isso significa que você não tem controle; portanto, não deve usar Castigo em público.
- Está com vontade de aplicar um Castigo?
  Com certeza. É rápido, sem dor e geralmente põe um fim ao mau comportamento.
- É o mínimo, significando a escolha mais rápida e menos punitiva?
  Sim, um minuto ou menos por ano na vida de uma criança é o suficiente. Cinco minutos, para uma primeira ofensa, funcionará para crianças mais velhas.

5 Caso escolha a Conseqüência, é preciso dar uma Advertência. Nesse caso, é possível evitar o Castigo se afastando para dar a seu filho uma chance de se sentar sem passar nenhum carão; diga: *"Vou ao banheiro. É melhor que esteja sentado em seu lugar quando eu voltar ou vou colocá-lo de Castigo!"*.

6 Se ele não estiver no lugar quando você retornar, aplique o Castigo. Os passos para a eficácia de um Castigo em público são:

- Selecione um lugar para o Castigo (o saguão, o carro, um canto dentro ou fora do restaurante).

- Vá de encontro a seu filho, olhe-o nos olhos e diga firmemente: *"Venha comigo de Castigo!"*. Vire-se e vá direto ao banheiro ou para fora do restaurante. Vá devagar, de modo que ele o veja e o acompanhe. Você pode pegá-lo pela mão, mas, em geral, não é bom ter contato físico.
- Use seu relógio ou, se já teve problemas no passado e quer evitá-los, carregue com você um despertador ou um cronômetro.
- Ignore todas as táticas de dispersão de seu filho (designadas a tirá-lo do caminho), como argumentos, queixas, murmúrios ou comentários do tipo *"Não é justo!"*, ou indagações como *"Por que tenho de ir?"*. Vire-se levemente e focalize qualquer outra coisa ou alguém.
- Quando o Castigo terminar, não passe sermão. Simplesmente diga: *"Seu Castigo terminou. Vamos voltar à mesa!"*. Calmamente retorne a seu lugar.
- Depois que seu filho se sentar, espere um minuto ou dois e ofereça um Convite de Volta à Família, para mostrar a ele que não está com raiva nem rancor. Certifique-se de que a refeição dele chegou, ofereça pão, faça um comentário agradável aos outros sobre alguma coisa boa que ele tenha feito recentemente.
- Ter Castigos perfeitos em casa é um dos segredos para um Castigo efetivo em público.

7 Se o Castigo não funcionar, para evitar um padrão típico de comportamento ofensivo em restaurantes use a Conseqüência de pegar seu filho e ir embora do restaurante. Você precisa combinar isso cuidadosamente com seu companheiro.

Reflita sobre a eficácia dessa Conseqüência:

- Sair do restaurante tem significado para seu filho?

  A maioria das crianças prefere não ir embora, mas seu filho pode ser uma exceção, e partir poderia funcionar como um prêmio em vez de uma Conseqüência efetiva. Se não for esse o caso, contrate uma babá que possa ficar de prontidão e escolha um restaurante perto de sua casa. Assim, se ele se comportar mal, você poderá levá-lo de volta para casa rapidamente e retornar para saborear sua refeição.

- Você tem controle para decidir a hora de ir embora do restaurante?
A maioria das crianças não permanece à mesa depois que seus pais se levantam e caminham para a saída. Entretanto, é possível que tenha de carregar seu filho, mas, se tiver, permaneça calma e não o olhe nos olhos.
- Você está com vontade de ir embora do restaurante?
O feitiço pode se voltar contra o feiticeiro. Mesmo que seu filho esteja arruinando a noite, você pode ficar muito indecisa quanto a ir embora. Para que uma Advertência seja efetiva, a criança deve acreditar que você a cumprirá. Se você não está com vontade de ir embora, não deve ameaçar.

    Se houver um comportamento negativo, talvez não tenha outro recurso a não ser interromper temporariamente o passeio, levar seu filho de volta para casa e deixá-lo com a babá. A boa notícia dessa Conseqüência é que geralmente tem grande impacto sobre seu filho. Você não terá de usá-la novamente e é muito efetiva para mudar o comportamento em público.
- É uma Conseqüência mínima?
Não é extremamente punitiva para seu filho, exceto se for o aniversário dele ou alguma outra ocasião especial. Pode ser punitiva para sua consciência!

8 Se escolher essa Conseqüência, a Advertência poderá ser:

Se quebrar uma das regras, levarei você de volta para casa e você vai comer com a babá, porque eu retornarei ao restaurante.

Se ele quebrar as regras, anuncie que é hora de levá-lo para casa. Talvez tenha de carregá-lo aos chutes e gritos para o carro, mas tente fazer isso da maneira mais calma que conseguir. Deixe-o com a babá e retorne ao restaurante. Tenha certeza de que a babá é uma pessoa que sabe como ignorar as explosões de raiva dele, pois já deve saber o alvoroço que a espera, pelo menos até que você desapareça de vista. Fique certa também de que ela dará a atenção necessária a seu filho somente quando a explosão passar. Ela pode preparar um sanduíche ou um jantar leve e jogar bola com ele, por exemplo. Não deverá haver privilégios maiores, mimos nem agrados.

9 Outra versão aplicada aos pais que estão com vontade de sair da festa por bem e deixar seu filho em casa. O pai pode simplesmente dar um jantar rápido e colocar o filho na cama (se for à noite). Evite longas conversas e discussões. Não deverá haver uma recompensa positiva por ter arruinado seu passeio. Lembre-se de que sua atenção não passa de um prêmio.

10 Pode acontecer de uma criança receber uma Conseqüência e, então, imediatamente prometer: *"Eu vou me comportar!"*, para evitar o que está por vir. Você certamente poderá aceitar sua promessa com um tom firme e satisfatório: *"Tudo bem, vou acreditar na sua promessa!"*. Se ele cooperar, elogie-o, e provavelmente terá uma agradável refeição. Se não cooperar, mantenha a Conseqüência original e nunca mais caia nesse conto do vigário!

11 Uma sugestão como *"Sem sobremesa hoje!"* (como Conseqüência) ou *"Se você se comportar terá uma bela sobremesa!"* (como inspiração de um Acordo Quando/Então): apesar de, em geral, não recomendar o consumo de alimentos como punição ou prêmio, se você estiver com poucas opções de Conseqüências, pode usar esta em um momento de desespero. Tente dizer algo assim: *"Se você cooperar conosco no restaurante durante a refeição, ficaremos tempo suficiente para a sobremesa!"* ou *"Se você continuar a gritar, vamos embora antes da sobremesa!"*. Isso fará com que você alcance seu objetivo sem aparentar que está prometendo doces.

5
Péssimos Modos em Companhia de Alguém

O PROBLEMA:

Seu filho é desagradável na casa de parentes ou amigos (ou quando estes visitam sua casa). Insiste em sentar em determinada cadeira que já está ocupada, quer roubar comida de seu prato, a interrompe continuamente com perguntas rudes quando você está tentando falar com sua tia mais velha, chuta ou morde crianças e adultos, se debate e tem total explosão de raiva no meio da sala, não pára de falar, a cada vinte minutos, *"Estou cheio!"*, arranca brinquedos à força ou encontra outras maneiras de torturar os indefesos primos mais novos?

Você simplesmente quer que, por um dia ou uma noite, seu filho seja um exemplo de criança. Será que é pedir demais?

REFLEXÃO:

Em público, entre estranhos, amigos ou familiares, as crianças muitas vezes mostram seus comportamentos mais criativos e ofensivos. De fato, nessas circunstâncias, é possível ver seu filho se comportar como nunca ou, melhor dizendo, agindo de maneira totalmente diferente.

É como se nossos filhos soubessem quando estamos sendo julgados pelo Crime de Falha Educacional e temos o júri mais antipático do mundo.

Com a família, a pressão é ainda maior. Estamos eufóricos para rever familiares e amigos, fantasiamos conseguir que as crianças se dêem perfeitamente bem com todos, gerando uma grande família feliz. ERRADO!

Sim, você tem o direito de ter uma reunião tranqüila, mas tais reuniões são estressantes para crianças de todas as idades. Quando as crianças estão estressadas conseguem nos tirar do sério e se comportam muito mal mesmo. No entanto, nenhum familiar, não importa seu tamanho, deve arruinar o dia dos demais. E, se você não fizer nada, sua família e seus amigos ficarão aborrecidos, e com razão.

O que fazer, então? Lembre-se das virtudes de preparar e estabelecer limites. Proporcione uma rotina de visita na qual fique claro aquilo que espera de seus filhos e, então, use seus artifícios de limites estabelecidos para determinadas ocasiões. Ninguém culpará você por tentar controlar uma situação ruim. Na realidade, talvez as pessoas sintam um pouco de medo de você, mas ficarão gratas, e certamente poderão até pedir algumas dicas de como lidar com os próprios filhos.

COMO CONSEGUIR UM COMPORTAMENTO PERFEITO (Você Aceitará um Comportamento Razoável?):

1 Em sua casa, deixe claro a seu filho o que é um comportamento rude e qual será a Conseqüência para tal ação. Se no jantar ele disser: *"Credo, isto está com um gosto horrível!"*, responda: *"Você está insultando minha comida e isso é ser rude. Da próxima vez, você sairá da mesa por três minutos!"*.

2 Insista no bom comportamento quando estiver visitando alguém em qualquer ocasião, seja para um café rápido na vizinha, seja para levar alguma coisa à casa de um amigo. Visitas rápidas servem como treino para as mais longas. Estabeleça regras claras e, se forem violadas, dê uma Advertência de Conseqüência, tal como a remoção de um privilégio (sem TV, sem sobremesa ou ir mais cedo para a cama). Se seu filho começar a cooperar, agradeça-o. Caso contrário, siga para a Conseqüência. Para ir além, da próxima vez que sair para cuidar de seus afazeres fora de casa, deixe-o com a babá ou com o pai. Se seu filho implorar para ir junto, diga:

> *Da última vez que fomos à padaria, você ficou me interrompendo quando eu estava fazendo o pedido. Hoje, você vai ficar em casa. Darei outra chance no sábado.*

Pode ser que ele grite até você sumir de vista, mas imagino que se esforçará mais da próxima vez que sair com você. E esse tipo de comportamento se refletirá em outras ocasiões.

3 Se as visitas à casa dos outros tendem a ser difíceis ou se quer cortar o mal pela raiz, avalie o próximo evento. Considere estes e outros possíveis problemas e intervenções:

- Se a festa for começar na hora em que seu filho normalmente tira um cochilo, chegue mais tarde, depois do cochilo, ou mais cedo, para que ele consiga cochilar no caminho ou antes de todos os familiares chegarem.
- Se a festa começar mais tarde do que o horário habitual da refeição dele, tenha sanduíches no carro ou um saco com salgadinhos para que possa comê-los quando tiver fome.
- Se é um jantar, acenda velas. Um jantar à luz de velas tem sempre um efeito tranqüilizador em crianças; e, uma vez que adoram soprar velinhas, use isso como um Acordo Quando/Então: *"Quem se lembrar dos bons modos no jantar de hoje poderá assoprar as velinhas!"*. (Se mais de uma criança se comportar bem, acenda novamente as velas para uma segunda rodada.) Seja específica sobre o que significa "bons modos" para você: não encostar nas pessoas, mastigar com a boca fechada e permanecer sentado durante a refeição.
- Se o primo Albert detesta dividir os brinquedos, traga alguns brinquedos de casa. Escolha brinquedos que ele não se incomodará de compartilhar e que não causem maiores traumas se forem perdidos ou quebrados.
- Se seu filho está naquela fase em que odeia ter de dividir a mamãe ou o papai e você está ansiosa para conversar com sua tia preferida, chame um primo mais velho para brincar com ele por uma ou duas horas e alugue um filme para que haja entretenimento depois do jantar.
- Se a festa passar da hora de dormir, leve um colchonete, o pijama, a escova de dentes e o ursinho de pelúcia. Assim, seu filho poderá dormir na hora em que costuma ou quando ficar cansado e irritado. Você também poderá optar por sair mais cedo e acomodá-lo no carro, que já estará preparado para um cochilo.

- Se seu plano é colocar seu filho para dormir durante a festa, tanto o papai como a mamãe, um de cada vez, devem ficar alguns minutos com a criança para dar "boa noite". Desse modo, seu filho terá, dentro do possível, a mesma rotina com histórias, canções de ninar e assim por diante.
- Se seu filho não é fã de todos os primos e vice-versa, "inspire cooperação" usando o Acordo Quando/Então: *"Ei, se você conseguir se entender com seu primo hoje à noite, poderá trazer um amiguinho para dormir aqui em casa amanhã!"*. Nesse caso, as crianças precisam brincar separadamente; leve livros ou outros tipos de brinquedo com que possam brincar sozinhas, tais como cartas, toca-fitas, bonequinhos, lápis de cor, papel, giz.
- Se estiver planejando visitar um amigo ou parente que seu filho nunca viu, prepare-o da melhor maneira que puder, dizendo o que espera dele. Conversas curtas podem incluir este tipo de informação:

  O primo Lloyd mora em um sobrado. Haverá muita gente lá, cozinhando, comendo e falando. Seus tios provavelmente vão querer beijá-lo e você não é obrigado a gostar disso.

  O tio Malcolm gosta de brincadeiras de mão. Você provavelmente vai gostar bastante disso, mas se ele fizer muitas cócegas, diga que não gosta ou me chame. Ele costumava me fazer muitas cócegas quando eu era pequena.

  Você pode ficar entediado até que seus primos maiores cheguem. Leve alguns livros e brinquedos, certo?

4 Estabeleça as regras antes de sair. Escolha as três mais importantes e deixe-as claras para seu filho:

Mantenha seus pés longe dos móveis.

Se sua tia der uma comida de que não goste, não diga que não gosta, deixe-a em seu prato.

Por favor diga "Com licença" se precisar interromper.

Se ele seguir as regras, elogie-o em voz baixa em seu ouvido, faça um sinal de positivo com o dedo ou dê um abraço pelo excelente comportamento na visita.

5 Deixe seu filho a par dos assuntos da família que são tabus ou "segredos", os quais podem constranger ou magoar alguém caso sejam comentados, tal como a gravidez de uma prima adolescente, a queda de cabelo de um tio legal por causa da quimioterapia ou a disputa que há entre um casal que está se divorciando. Avise-o de que, se ficar curioso, preocupado ou assustado, você ficará contente em conversar, em particular, sobre as preocupações dele.

6 Dê a seus parentes a liberdade de impor limites, se tiverem educações similares. Às vezes é mais fácil ceder a eles. Muito melhor do que dizer: *"A tia Nancy não permite que pule nos móveis. Se você o fizer novamente, terá de brincar lá fora!"*, deixe que a própria tia Nancy diga: *"Se você pular nos meus móveis, vai brincar lá fora por quinze minutos!"*. Sua tia provavelmente ficará satisfeita em saber que você respeita suas regras e isso aliviará a carga de ter de chamar a atenção de seu filho.

7 Antes de um grande evento, digamos um casamento ou algo que a deixe tensa, planeje um Teste ou dois para que se preparem. Qualquer evento de menor estresse, como um jantar informal na casa de um amigo, uma relaxante caminhada de domingo com os vizinhos ou um churrasco de tarde no parque, pode proporcionar uma oportunidade perfeita para praticar um comportamento razoável. Faça o Teste seguindo estes passos:

- Lembre seu filho das regras (três é um bom número):

  Não bata no Tony.

  Não puxe o rabo do gato nem corra atrás do cachorro.

  Não saia do quintal dos Sims sem avisar o papai ou a mamãe.

- Dê uma Advertência de Conseqüência (veja o Glossário para definição de uma Conseqüência efetiva), por exemplo:

  Lembre-se de que, se você quebrar as regras, irá para a cama meia hora mais cedo.

- Elogie seu filho por estar seguindo qualquer uma das regras:

  Ei, garotos, estão brincando muito bem juntos. Obrigada!

  Estão sendo muito bons e gentis com o Sr. Woofer.

  Muito bem, por se lembrar de pedir antes de ir ao parque.

- Se ele quebrar uma regra, siga com a Conseqüência:

  Você saiu do quintal sem nos avisar. Hoje à noite irá para a cama pontualmente às sete e meia.

- Faça outro Teste antes do grande evento, tal como um jantar informal na sua casa e, novamente, anuncie a Conseqüência por quebrar uma das regras. Escolha uma Conseqüência que será capaz de aplicar durante a festa e aplique-a se seu filho a merecer. O Teste lhe dará confiança em público e passará a seu filho uma importante mensagem: "Meus pais não brincam em serviço!".

8 Se você se preparar conforme sugeri, pode descobrir que seu filho realmente melhorou com relação aos passeios e tem se comportado bem, pois estava esperando o pior.

Em minha experiência profissional, observei que os clientes sempre levantam situações que os atormentam, tais como as reuniões familiares. Examinamos detalhadamente o que os aborrece e traçamos maneiras de administrar pessoas ou situações difíceis. Depois, praticamos juntos para o evento que se aproxima. Por exemplo, uma mulher planeja ignorar os comentários infelizes de seu pai com relação a seu marido. Se seu pai continuar, ela planeja sair calmamente da sala. Muitas vezes, depois da reunião, a cliente retorna dizendo algo assim: *"Papai não foi tão ruim dessa vez."*.

Estou convencida de que parte da razão de "Papai não ter sido tão ruim" seja porque percebeu uma mudança não mencionada mas perceptível em sua filha. Dessa vez, ela estava preparada para lidar com ele: caso fosse rude ou insolente, não toleraria tal comportamento.

Do mesmo modo, suas preparações podem dar a seu filho a mensagem de que comportamentos rudes ou agressivos não serão tolerados. Suas mensagens, faladas ou não, são passadas a seu filho e podem surtir efeito em seu comportamento.

Se, apesar de toda a preparação, uma regra for quebrada, siga com seus planos de estabelecer limites.

COMO DIZER "NÃO" E NÃO VOLTAR ATRÁS:

1 Como esse passeio é um prazer para você, não interrompa seu dia ou sua noite por causa das explosões de raiva de seu filho. Ele pode ter de sofrer a Conseqüência de ir mais cedo para cama, encurtar sua mesada, perder um programa de TV favorito ou ficar sem sobremesa (se esta for a única opção de Conseqüência). Entretanto, jamais recompense um comportamento ultrajante punindo a si mesma!

2 Se você precisar de uma Conseqüência imediata, aplique um Castigo (consulte o Glossário). O Castigo tem todos os critérios para uma Conseqüência efetiva:

- Tem significado para a criança (crianças normalmente odeiam castigos).
- Os pais geralmente conseguem colocar seus filhos de Castigo (logo têm o controle necessário).
- Os pais não se importam de dar Castigo (não é extremamente punitivo).
- Castigo é o mínimo (é rápido e imediato).

3 Relembre seu filho das regras e dê a ele uma Advertência: ficará de Castigo se quebrar uma delas.

4 Elogie seu filho se ele cooperar seguindo as regras, mas, se quebrar uma delas, leve-o (ou calmamente carregue-o, se necessário) para fora da área familiar e dê um Castigo. Se precisar ficar com ele para que não fique assustado, faça-o, mas vire-se e não fale com ele. Você não precisa exigir silêncio, apenas o coloque em uma cadeira por determinado período.

5 Se ele se recusar a ficar na cadeira, use uma sala que não tenha nada de divertido ou potencialmente perigoso. Leve-o até lá, deixe a porta ligeiramente aberta e espere do lado de fora por alguns minutos (dois minutos são suficientes para uma criança entre dois e seis anos de idade). Use seu relógio ou, se possível, um despertador. Quando o alarme tocar, simplesmente dê um Convite de Volta à Família: *"Seu tempo acabou. Você pode se juntar à família agora!"*.

6 Não passe sermão nem relembre suas transgressões. Passe uma borracha no acontecido. Se ele se sentar de mau humor e permanecer imóvel, deixe-o saber onde você estará, usando um tom agradável e não-punitivo: *"Estarei sentada com a Nana na varanda da frente!"*.

7 Toda vez que ele repetir a ofensa, naquele dia, nos próximos dias ou em uma longa viagem, merecerá um Castigo. Você poderá aumentar o tempo gradativamente.

8 Lembre-se de que não apenas no seu dia-a-dia em casa, mas também em viagens ou qualquer outro lugar, seu filho precisa de expectativas claras e firmes, além de limites adequados.

Para Seu Próprio Bem

Imaginem nossas crianças vivendo a vida que bem entendessem. Umas longas férias com videogames e comidas nada nutritivas e uma civilização desmoronando à nossa volta. Encarem isso, pais, nós não podemos deixá-los viver dentro de seus próprios conceitos.

6
Problemas na Hora de Dormir

O PROBLEMA:

Sua filha se recusa a permanecer na cama e a dormir. Ela se levanta ou chama você para ficar ao lado da cama, pede água, diz que está com fome, insiste que não está cansada, discute dizendo que suas amigas não têm de ir para a cama tão cedo, quer ler ou brincar, diz que está doente (mas não está), implora para dormir com você ou simplesmente chora e grita para que a deixe sair da cama. Você quer paz, tranqüilidade e uma boa noite de sono. Quer que sua filha se deite, permaneça na cama e talvez até caia no sono em uma hora razoável.

REFLEXÃO:

As crianças precisam de uma boa noite de sono (e os pais também!), e parecem se sair melhor dentro de uma rotina previsível e regular na hora de dormir em suas próprias camas. A maioria dos pais me conta que seus filhos não "caem no sono" depois de ficarem acordados até tarde; então não se ajustam ao "tarde da noite" da mesma maneira que os adultos. Eles acordam quase no mesmo horário, irritados e de mau humor. Seu relógio biológico não equivale ao alarme do relógio, mas sim ao relógio do sol, pois, mesmo que seus corpos estejam cansados, parece que preferem acordar conforme a quantidade de luz que entra no quarto.

Para que sua filha tenha uma idéia clara sobre a hora de dormir, os pais precisam concordar e passar a mesma mensagem: *"Nós queremos que você vá para a cama e permaneça lá!"*. Entretanto, você e sua esposa podem não concordar. Você talvez prefira estabelecer uma hora de dormir regular, mas sua esposa acha que uma criança cai no sono quando precisa. Ou talvez você queira um horário mais cedo, enquanto sua esposa quer ter mais tempo depois do jantar para brincar com a filhinha. Pode ser que você não se importe que seu bebê se junte a vocês na cama no meio da noite, mas sua esposa pode pensar de maneira diferente. Então, o primeiro passo para resolver o problema da hora de dormir é vocês dois conversarem a respeito e decidirem por um horário a que ambos consigam se adaptar e segui-lo corretamente.

Cheque com a pediatra quantas horas de sono ela recomenda a sua filha. Leve em conta o padrão da criança; talvez precise menos ou mais horas de sono do que as outras crianças de mesma idade e tamanho. As observações da professora podem ajudá-lo também. Como ela está indo na escola? Está bem acordada ou sonolenta de manhã?

Uma vez que tiver verificado a quantidade ideal de sono, estabeleça uma hora de dormir regular. Faça o melhor que puder, considerando o horário que chega em casa do trabalho. Agilize o jantar ou o banho. Corte o horário semanal de TV em família (a menos que isso facilite o preparo do jantar e dê tempo para colocar o irmão mais novo na cama). Faça sua filha fazer a lição de casa assim que chegar da escola (você poderá revisá-la depois do jantar). Seu objetivo é permitir que a hora de dormir seja a hora que seu corpo precisa, o horário que a família toda precisa e a hora que você mesmo e sua esposa precisam.

COMO CONSEGUIR QUE A CRIANÇA VÁ PARA A CAMA:

1 Faça um plano para a noite. Trabalhe com o tempo necessário até "apagar as luzes". Tome nota do que precisa executar e quanto tempo essas tarefas levam para começar e terminar. Seja realista sobre o tempo disponível. Se acha que levará cinco minutos para fazê-la, considere oito.

Um bebê pode ter a seguinte rotina para a hora de dormir:

– tomar banho às 18:30;

– vestir o pijama e escovar os dentes às 18:50;

– ouvir histórias ou canções de ninar às 19;

– dar boa noite à família e ir para a cama às 19:15;

– beber o último gole de água às 19:18;

– a mamãe e o papai saírem do quarto às 19:20.

Uma criança em idade escolar poderia ter a seguinte rotina:

– jantar e fazer lição de casa até as 19:15;

– tomar banho, escovar os dentes e vestir o pijama às 19:30;

– ter atividades como leitura, games ou TV até as 19:58;

– ir para a cama às 20;

– ler sozinhos ou com os pais e, então, dar boa noite às 20:29;

– apagar as luzes às 20:30.

Leve em consideração tudo o que você e sua filha precisam fazer para estarem prontos para a escola ou para o berçário no outro dia de manhã: fazer a mochila, preparar o lanche da escola, escolher e separar as roupas, guardar os brinquedos e assim por diante.

Você pode dizer em voz alta quatro ou cinco tarefas ou pendurar um bilhetinho na geladeira ou na porta do quarto dela para ajudá-la a se lembrar do plano da noite, mas não espere que ela organize o tempo sozinha. Apesar de sua programação ser boa, é a *sua* programação e não a *dela*; logo, ela não estará motivada e precisará de lembretes.

2 Uma vez estabelecida a programação, não volte atrás. Quando sua filha é pequena, é mais fácil ser firme. Quando atingem a idade escolar, as crianças têm mais lição de casa, resistem a ir para a cama quando ainda está claro lá fora, querem assistir a programas de TV e debatem dizendo: *"Mas meus amigos ficam acordados até as nove e meia!"*.

Faça um plano quando sua filha ainda for pequena e ajuste-o apropriadamente à medida que ficar mais velha.

3 Separe um tempinho de tranqüilidade em família, entre vestir o pijama, escovar os dentes e ir para cama, para ler, assistir à TV ou brincar com o jogo favorito. É muito mais inspirador para as crianças ouvirem: *"OK, crianças, hora de vestir os pijamas, escovar os dentes e subir para ouvir histórias!"* em vez de *"OK, crianças, hora de vestir os pijamas, escovar os dentes e ir para a cama!"*.

Ou, se não tiver um tempo livre, use um Acordo Quando/Então, com a oferta de uma diversão ou atividade, para ajudá-las a entrarem em seu horário: *"Quando todos vocês estiverem prontos para ir para a cama, e isso quer dizer com pijamas, dentes escovados e as mochilas prontas, poderão desenhar, brincar sozinhos ou organizar suas figurinhas por vinte minutos!"*.

4 Dê um Aviso poucos minutos antes de o horário acabar, hora em que precisa interromper o jogo ou a leitura de suas crianças. Um Aviso poderia ser: *"Em cinco minutos será hora de guardar seus brinquedos e escovar os dentes!"* ou *"Vocês têm mais cinco minutos de leitura antes de apagarmos as luzes!"*.

5 Não insista em deixar as luzes acesas ou apagadas, a porta aberta ou fechada ou até mesmo em deixá-la com ou sem as cobertas. Essa é a hora de escolher suas batalhas. Você não precisa vencer cada conflito e sua filha pode precisar de um ar de vitória para terminar o dia. Depois que ela dormir você poderá cobri-la, ligar o abajur ou abrir a porta.

6 Não fique no quarto de sua filha esperando que caia no sono. É muito fácil criar o hábito de sentar ou deitar na cama dos filhos. É confortante para eles e relaxante para você. Entretanto, muitos dos problemas relacionados com o sono se devem à incapacidade de os filhos dormirem sozinhos. Até um bebê precisa aprender a dormir sem ajuda.

7 Evite criar um ritual até ir para cama que tome muito tempo. Uma família costumava levar uma hora para o "Boa noite", que incluía beber água, muitos minutos de enrolação, um livro ou dois, uma "história sem páginas" (um adorável nome para histórias inventadas) e a mamãe sentada no quarto até que a criança dormisse. Quando os pais concordaram que ambos precisavam mudar, tiveram sucesso em desacostumar seu filho e conseguiram reduzir essa uma hora de "Boa noite" para apenas vinte minutos.

Da mesma maneira, evite enrolações demais. Com certeza, dois, cinco, no máxino dez minutos são suficientes, mas, se toda noite sua filha exige que você se sente na cama dela por meia hora ou mais antes que durma, isso é muito tempo.

8 Evite deixar que sua filha durma na cama com vocês. Tudo começa de maneira inocente; o pequenino bebê de colo, enroladinho, facilmente sensibiliza a mamãe e o papai. Quem conseguiria deixar um bebê sozinho em seu próprio quarto? Mas os dias transformam-se em meses muito rápido.

Em breve, os anos estarão passando e sua garotinha continuará sempre na cama dos pais.

À medida que sua filha fica mais velha, torna-se mais difícil tirar os hábitos da hora de dormir. Recomendo o seguinte: tanto quanto possível, seu bebê deverá dormir em sua própria cama. Se cair no sono em seu colo enquanto estiver amamentando, coloque-o de volta no berço depois de fazê-lo arrotar. Os pais deverão criar o hábito de colocá-lo de volta em sua própria cama, mesmo que adormeça com eles.

Se, como em algumas famílias, você curte o conceito de "cama familiar", com bebês de colo e crianças se juntando a vocês durante a noite, tenha em mente que até certo ponto é preciso manter sua privacidade e que sua filha precisa aprender a ser independente durante a noite.

9 Não faça brincadeiras de mão, cócegas ou qualquer outra atividade muito estimulante antes da hora de dormir. Sua filha despertará e a hora de dormir será muito mais difícil. Faça brincadeiras de mão mais cedo, ao entardecer ou, melhor ainda, pela manhã!

10 Todos gostam de ser cobertos e beijados na hora de dormir. Então, antes de apagar as luzes, esteja ao lado da cama de sua filha. Se continuar a se levantar, esqueça essa rotina, apenas a cubra e boa noite!

11 Elogie sua filha por obedecer qualquer estágio da rotina da hora de dormir. Exemplos são:

Uau! Você colocou o pijama muito rápido hoje!

Obrigado por colocar sua roupa no cesto.

Você ficou na cama depois do "boa noite" a noite passada. Isso foi maravilhoso!

COMO DIZER "NÃO" E NÃO VOLTAR ATRÁS:

1 Se sua filha tem tratamento especial na hora de dormir (ou se é preciso recuperar as forças depois de uma doença ou evento estressante), sente com ela para ter uma Reunião de Família e diga que as coisas vão mudar. Por exemplo, se o aniversário dela estiver se aproximando, você pode dizer: *"No mês que vem você fará quatro anos de idade. Quando completar quatro anos estará pronta para dormir sem a mamãe ou o papai sentados ao lado de sua cama até que caia no sono!"*.

Depois que completar quatro anos (ou qualquer outra idade), relembre-a da conversa que tiveram e implemente a mudança. Anuncie: "*Ficarei com você mais um pouco e depois tenho de fazer uma ligação (lavar a louça, sair com o papai...). Mais tarde voltarei para ver como você está. Em breve você vai se acostumar a dormir sozinha!*".

Faça um processo para desacostumá-la e encurte o tempo que fica sentado na cama ao seu lado. Os passos são:

- Fique até ela quase dormir. Dê um beijo de leve e diga: "*Preciso falar com a mamãe agora, voltarei em breve para ver como está. Boa noite, querida!*".
- Retorne periodicamente ao quarto até que durma. Fale uma ou duas palavras ou dê um tapinha nas costas. Se ela discutir, chorar ou se queixar, diga: "*Se você ficar deitada quietinha eu voltarei para vê-la, mas, se causar confusão, não voltarei!*".
- Encurte o tempo que fica sentado na cama. Não fique muito mais do que cinco minutos, até que ela consiga tolerar apenas cinco minutos. Prometa que voltará em pouco tempo para dar uma olhada e diga gentilmente, mas com firmeza: "*Boa noite!*".

2 Na hora de dormir, dê uma Ordem clara:

Você deve se deitar agora e ficar quieta. Boa noite, querida.

3 Se ela sair da cama, dê um Lembrete:

Volte para a cama e fique lá.

4 Se ela o chamar, chorar ou gritar, diga que vai ignorar suas exigências:

É hora de dormir. Já tomou seu copo de água, ouviu sua história, ganhou beijo e abraço. Se me chamar de novo, não responderei.

Se ela permanecer quieta na cama por dez minutos, você pode fazer um sinal de positivo e dar mais um beijo. Diga: "*Está sendo muito educada ficando na cama. Até amanhã de manhã!*". Se perceber que retornar para elogiá-la a desperta, não faça mais isso!

5 Se ela continuar a sair da cama, há três artifícios que podem ajudar a ignorá-la:

- Calmamente, caminhe ou carregue sua criança de volta para a cama. Enfatizo a palavra "calmamente". Sua raiva ou frustração não fará com que durma. Não fale, não acaricie nem interaja com ela. Não olhe em seus olhos até que a coloque na cama e, com firmeza, ordene: "*Fique na cama!*". Volte para o que estava fazendo. Repita isso até que ela desista. (Continue dizendo a si mesmo: "*Eu posso ignorar. Eu posso ignorar. Eu posso ignorar!*".)
- Tente a Técnica do Disco Riscado. Quando ela entrar no quarto, olhe em seus olhos e diga: "*De volta para a cama!*". Responda a todo e qualquer argumento com a mesma frase: "*De volta para a cama!*" até que ela desista. Repita sempre que ela aparecer de novo. Ignore choros ou gritos, que podem se seguir por mais algumas noites até que entenda o recado.
- Ignore sua presença completamente. Vamos dizer que ela entre na sala engatinhando. Não olhe! Não responda a suas perguntas, não grite, não passe sermão. Concentre-se em qualquer outra coisa, como em um jornal ou em uma conversa com sua esposa. Se você e todos os demais adultos que estiverem na sala agirem dessa maneira, ela provavelmente sairá do ambiente, já que não é bem-vinda, e engatinhará de volta à cama ou dormirá no chão, encostada em seu pé. Mas, atenção, o desprezo não funcionará se você estiver com a TV ligada. Ela pode se juntar para assistir à TV.

6 Se ela tiver uma total explosão de raiva, aja como se nada estivesse acontecendo. Prometo a você: não terá de fazer isso muitas outras noites. Planeje uma noite para ignorá-la totalmente até que caia no sono. Comece o treino da hora de dormir em uma noite de sexta-feira. Leia uma ficção ou uma revista sobre automóveis, faça palavras-cruzadas ou qualquer coisa que prenda a atenção. Durma bastante na noite anterior. Use fones de ouvido, se necessário. Permaneça concentrado em seu livro ou projeto ou finja estar entretido.

Repita a si mesmo: "*Conseguirei resistir. Levará apenas uma ou duas noites. Sei que consigo!*".

Repita o mesmo procedimento até que sua filha se adapte.

7 Se ela acender as luzes e continuar a ler ou brincar, entre em seu quarto e calmamente repita uma Ordem firme: *"É hora de apagar as luzes!"*. Dê um ou dois minutos para que ela mesma apague as luzes. Se não o fizer, diga: *"Você apagará as luzes ou eu mesmo terei de fazê-lo?"*. Ela pode apagá-las com irritação, mas, se não o fizer, apague você mesmo. Ignore todos os gritos que virão a seguir.

8 Se ela pedir para dormir uma hora mais tarde, diga-lhe: *"É muito tarde para decidirmos sobre isso. Conversaremos a respeito disso amanhã. Boa noite!"*. Responda a qualquer outro comentário com *"Assunto encerrado, boa noite!"*.

No dia seguinte, quando surgir o assunto a respeito de dormir uma hora mais tarde, você certamente poderá discutir sobre isso. Talvez você ou ela possam ligar para a pediatra para ver qual o horário que ela recomenda. Se o problema é que sua filha fica irritada de manhã, você pode oferecer um Acordo Quando/Então: *"Amanhã, vamos tentar ir para a cama às oito e meia. Se você acordar facilmente e ficar pronta no horário para ir à escola, então saberei que você consegue ficar acordada até essa hora. Se não, nós dois saberemos que você, de fato, ainda precisa de meia hora a mais de sono!"*.

9 Se ela continuar argumentando ou resistindo, dê uma Advertência de Conseqüência, como: *"Para cada minuto que você ficar de pé hoje depois de seu horário de dormir, irá para a cama os mesmos minutos mais cedo amanhã!"*. Não se esqueça de seguir com a Conseqüência na noite seguinte.

10 Você pode reconsiderar e permitir que ela permaneça acordada até mais tarde lendo ou jogando tranqüilamente em seu quarto por quinze ou vinte minutos, se seu principal interesse for ganhar um pouco de tempo para si mesmo. Você pode, de fato, ficar feliz por sua filha estar apenas descansando. Deixe-a saber que você também está "de folga" como pai (exceto, claro, para emergências).

11 Se sua filha acordar com um pesadelo e chamá-lo, prefira ir até o quarto dela em vez de trazê-la até o seu. Fique um pouco junto para tranqüilizá-la e acalmá-la, mas retorne sozinho para seu quarto. Tente não criar o hábito de cair no sono na cama de sua filha; mais uma vez, isso apenas aumentará sua dependência.

Quando meus filhos iam para o meu quarto porque tinham pesadelos e pediam para dormir comigo, eu dizia: *"Você pode ficar alguns minutos, mas depois vou levá-lo para seu quarto!"*. Com a preparação, aceitavam voltar para o quarto deles depois de cinco minutos. O perigo nisto, no entanto, é que você pode adormecer nesses cinco minutos. Use esta técnica com cautela.

12 Elogie sua filha quando for para a cama no horário. De manhã, independentemente de sua idade, parabenize-a ou conte com entusiasmo para toda a família. Dê a ela uma estrela no Gráfico de Melhor Comportamento e talvez até um prêmio ou pequeno privilégio. Mas, atenção, não dê como prêmio ficar acordada até mais tarde na noite seguinte!

13 Existem livros excelentes no mercado sobre como fazer dormir crianças e bebês que apresentam sérias dificuldades na hora de ir para a cama.

7
Resistência à Lição de Casa

O PROBLEMA:

Seu filho resiste a fazer a lição de casa. Esquece as tarefas ou diz que não tem, deixa os livros na escola, sempre faz a lição de casa "depois" ou a faz de qualquer jeito, se esquece de colocar a lição já pronta na mochila ou não a entrega à professora.

Você quer que seu filho tenha responsabilidade em suas tarefas. Será que é pedir demais?

REFLEXÃO:

Você quer exercer seu papel de mãe, mas está cansada de aborrecer seu filho com a lição de casa. Mesmo que esteja com vontade de persuadi-lo com as obrigações diárias, ele já acorda em pânico, gritando: *"Minha vida acabou. Esqueci! Tenho prova de Estudos Sociais hoje!"*.

"Será que devo ajudá-lo?", você se pergunta. As capitais dos estados ainda estão na sua cabeça, mas e os rios... as bacias... Você escuta um gemido. *"E o pior é que eu não trouxe meu livro para casa!"*. Mesmo que queira ajudá-lo, não pode.

Para piorar ainda mais, cada professor parece ter um conceito diferente de lição de casa. A professora da primeira série não acreditava em lições de casa, já a da segunda o sobrecarregava com elas. O professor da terceira série dá lição, mas, se a criança não termina, diz tranqüilamente: *"Tudo bem, você terá tempo suficiente em sala!"*. E dizem que o professor do próximo ano é muito severo com as crianças que não terminam suas tarefas.

Para que seu filho tome consciência da importância do dever de casa, ele precisa de esclarecimentos de ambos os pais. Talvez você e seu marido não vejam a lição de casa sob o mesmo ângulo. Ele não quer um *nerd* em casa e diz: *"Eu me saí bem. Dê um tempo a ele!"* ou *"As lições deveriam ser feitas na escola, depois da aula é hora de brincar!"*. Isso não quer dizer que seu companheiro não tenha um bom ponto de vista, mas o fato é que os dois têm de concordar e chegar a um consenso. Se ambos tiveram sorte suficiente de se sobressair, apesar dos problemas escolares, são a exceção e não a regra (e aqueles eram os bons e velhos tempos).

Uma das vantagens de fazer lição de casa é que isso lhe dá a oportunidade de desenvolver responsabilidades fora de casa. Lembrar-se das tarefas, organizar o material, reunir informações e equacionar o tempo são apenas algumas das habilidades mais importantes e necessárias por toda a vida. Use a razão! O peso não está todo em suas costas; o professor o divide com você.

Certamente seu filho precisa de uma boa educação e, para conseguir uma, mais cedo ou mais tarde ele terá de dançar conforme a música e ser responsável por sua lição, tanto de classe quanto de casa. Vamos ver algumas maneiras que podem ajudá-lo a desenvolver hábitos escolares de responsabilidade.

COMO SE LIVRAR DA LUTA COM A LIÇÃO DE CASA:

1 De agora em diante, na vida escolar de seu filho, estabeleça um exemplo para que leve seus deveres escolares a sério. Você pode mostrar como a escola é importante de diversas maneiras:

- Pergunte a seu filho sobre como foi o dia. Você tem de usar um pouco de criatividade aqui. As perguntas-padrão, do tipo *"Como foi na escola?"* ou *"O que aconteceu na escola hoje?"*, terão apenas respostas-padrão: "Bem" e "Nada". Para fazer a memória funcionar um pouco, pergunte: *"Alguma coisa estranha (divertida, assustadora, horrível, boba, nova, decepcionante, constrangedora, chata) aconteceu na escola hoje?"*.
- Visite a sala de aula sempre que puder. A maioria dos professores aprecia a visita. Se conseguir vinte minutos para ler, uma hora para ajudar com

artes, metade do dia para orientar ou ministrar uma aula especial, seu filho adorará e você aprenderá mais sobre o dia dele e do professor.

- Conheça o professor por telefone, se não puder encontrá-lo pessoalmente. Os professores normalmente gostam de ajeitar seus próprios horários aos dos pais. Sim, claro que pode ser inconveniente para eles, mas geralmente apreciam seus interesses.
- Compareça aos eventos e atividades escolares com a maior freqüência que puder. Quando os pais estão envolvidos, freqüentam as reuniões e as festas, como visitantes ou organizadores, seus filhos se beneficiam em sala. A maioria dos eventos acontece de dia, mas, como a maioria dos pais trabalha em período integral, muitas escolas estão reajustando o horário dos eventos para o final da tarde.

2 Você pode passar a mensagem de que a escola, e conseqüentemente o dever de casa, é importante ao insistir que seu filho durma cedo (para ter pique suficiente para o dia seguinte na escola), seja pontual, se vista adequadamente (dentro dos padrões da escola) e carregue todo o material de que precisa (mochila, lápis, caderno etc.).

3 Estabeleça um horário regular para a lição de casa: depois da escola é ideal. As crianças trabalham com mais eficiência e ainda estão cheias de energia no final da tarde. Se seu filho faz parte de alguma atividade depois do horário escolar e puder começar sua lição nessa atividade, ótimo. Se todos chegarem em casa às seis horas ou mais tarde, faça com que seu filho comece enquanto prepara o jantar.

4 Pratique a regra, por exemplo, do Acordo Quando/Então: *"Primeiro você estuda, depois brinca!"*. Insista para que termine antes de sair para brincar, assistir à TV ou pegar no telefone. Uma vez que estiver na frente da TV, será muito difícil fazê-lo estudar. Se seu filho tem muita lição de casa e você gostaria que tivesse um tempinho para brincar, deixe que ele estude por uma hora, brinque por uma hora e, então, volte para terminar o dever de casa.

Sinta-se à vontade para eliminar de uma vez a TV durante a semana; isso reduz os confrontos noturnos. Uma boa idéia é gravar os programas favoritos. Seu filho poderá assistir a eles depois de terminadas as obrigações ou no final de semana. Avance os comerciais; pense no tempo que economizará e nas compras que vai evitar!

5 Estabeleça a importância da lição de casa tendo um lugar regular para sua criança trabalhar. Gosto da cozinha ou da mesa de jantar, o centro da casa. As crianças podem se sentir um pouco isoladas em seus quartos. Muitas famílias encontram dificuldades em arrumar uma mesa, um abajur e assim por diante, no quarto, simplesmente porque acham que seus filhos preferem ficar com a família. Contanto que seu filho consiga trabalhar com um pouco de distração, a mesa da cozinha funciona perfeitamente. Seu filho de onze ou doze anos pode preferir estudar em seu próprio quarto. Tudo bem, desde que sem a intervenção da TV ou de qualquer outro aparelho eletrônico.

6 Proporcione a seu filho todas as ferramentas de que necessita. Tenha uma gaveta ou caixa próxima ao local de estudo com lápis, canetas, marcadores, borracha, grampeador, papel, fita adesiva, dicionário, régua, apontador etc. Insista para que guarde todo o material de volta no lugar; assim, sempre estará disponível quando for fazer a lição.

7 Descubra as expectativas do professor em relação a seu filho. Se não conseguir vê-lo pessoalmente, ligue ou mande um bilhete por intermédio de seu filho, pedindo uma resposta. Deixe seu número de telefone e horário que poderá ser encontrada. Diga ao professor o que precisa saber:

- Quanto tempo ele acha que seu filho deve levar para fazer a lição de casa.
- Quanta ajuda ou auxílio acha que os pais devem dar. Acha que os pais devem revisar e corrigir os erros dos filhos ou não?
- Se seu filho leva mais do que o tempo recomendado para fazer a lição, o que o professor recomenda? Fazer até o final, não importa quanto tempo leve, ou levar a lição inacabada? (Se este é um problema recorrente, é preciso avaliar como o professor costuma medir o tempo necessário para o término da lição ou se seu filho tem problemas na aprendizagem. Outra estimativa é quanto tempo os demais alunos levam para fazer a mesma lição.)
- Quais são as repercussões por não completar a lição de casa?

8 Mostre interesse pelos projetos e trabalhos de seu filho. Pergunte sobre as lições, revise os trabalhos devolvidos, escolha datas para irem juntos à biblioteca pesquisar. Anote trabalhos de longo prazo em um calendário da família ou cole-os na geladeira. (Dê Lembretes de maneira amigável, nunca brigando.)

9 Para inspirar capricho, elogie as partes impecáveis do trabalho, enquanto ignora as partes mais bagunçadas. Nós tendemos a esculhambar marcas incertas, a caligrafia e rasgos no papel. Veja estas duas maneiras de um pai fazer uma crítica ao trabalho do filho: *"Você fez um trabalho muito malfeito, Rick!"*. Este seria um comentário terrível. Seria mais inspirador dizer: *"Esta primeira linha, Rick, está ótima. Todas as letras ficaram do mesmo tamanho!"*. No segundo exemplo, o pai elogiou um "pequeno passo na direção correta", tirando vantagem da linha bem-feita e da escrita caprichada para encorajá-lo mais. Qual comentário é, provavelmente, mais estimulante para melhorar o trabalho de Rick?

10 Do mesmo modo, focalize o que está certo e não o que está errado. Repare na diferença entre estes dois comentários sob as perspectivas das crianças: *"Você teve três erros. Que vergonha. Quase um papel perfeito!"* ou *"Noventa e sete corretas! Já fez as contas, viu que acertou quase tudo?"*.

11 Para conseguir que seu filho trabalhe de maneira mais independente, dê a ele pequenas tarefas e diga para chamá-la quando terminar. Dessa maneira, você diminui sua dependência.

> *Faça a primeira linha dos exercícios de matemática. Quando terminar, me chame... (William obedece) ... Uau! Terminou estes exercícios bem rápido, William. Vamos revisá-los e tentar mais duas linhas.*

Com uma criança que exige que você se sente junto enquanto faz toda a lição de casa, diga: *"Faça um problema e depois me chame!"*. Ele termina, a chama e você checa a resposta. Diga algo como *"Bom trabalho. Agora, faça dois e me chame!"*. Quando seu filho conseguir fazer tudo sozinho, diga: *"Excelente, terminou todos os problemas sozinho!"*.

12 Pergunte a seu filho sobre o comentário do professor com relação a sua lição de casa.

> *O que ele achou de seu poema? ... O que achou de sua maquete de iglu? ...*

O que achou de sua entrevista com o carteiro?

Se o professor não comentar sobre as lições, isto pode ser um problema sério que pode interferir na capacidade que seu filho terá de se orgulhar do próprio trabalho. Consulte o professor imediatamente. Se ele não começar a fazer comentários sobre as tarefas de seu filho, fale com o diretor e pense na possibilidade de mudá-lo de sala.

13 Certifique-se de que seu filho tenha outras responsabilidades em casa. Alguns professores amigos diriam que o maior segredo para acabar com a resistência à lição de casa é fazer com que a criança tenha pelo menos uma obrigação doméstica diária. As obrigações levam as crianças a desenvolverem o senso de responsabilidade e isso as ajuda a fazer a lição de casa.

COMO DIZER "NÃO" E NÃO VOLTAR ATRÁS:

1 Se seu filho começar a brigar por causa da lição de casa, a não usar todo o seu potencial e for reprovado na escola, primeiramente ponha de lado a possibilidade de incapacidade ou falta de atenção. As crianças podem ser espertas, mas também passam por "problemas de processo"; isso significa que têm problemas em assimilar ou transmitir informações. Dificuldades com entendimento, sintetização ou comunicação podem refletir na leitura, na escrita, na lógica, na oral e assim por diante. Se você tiver qualquer tipo de suspeita de que seu filho pode estar apresentando uma incapacidade de aprendizagem que não foi diagnosticada, fale com o professor dele e requisite avaliação de um psicólogo educacional.

Do mesmo modo, se seu filho tiver problemas para preparar as tarefas, seguir orientações ou complementar o trabalho, pode estar sofrendo do Transtorno de Déficit de Atenção e Hiperatividade, o que interfere de maneira significativa na capacidade de prestar atenção e aprender. Um psiquiatra infantil é o mais indicado para diagnosticar e tratar esse transtorno.

2 Se o nível de qualidade da lição de casa decair repentinamente e você também observar uma diminuição de interesse em brincar com os amigos, dormir ou comer, seu filho pode estar sofrendo de depressão. Procure o pediatra ou um psiquiatra infantil imediatamente.

3 Se os problemas tiverem relação só com o "fazer lição de casa", responda às seguintes perguntas:

- Seu filho anota as tarefas?
  Se não, ele precisa de uma caderneta de anotações.
- Ele toma nota das tarefas corretamente?
  Se não, o professor precisa ler a anotação e assinalar os erros.
- Seu filho traz o caderno de lição para casa?
  Se não, precisa amarrar o caderno a sua mochila.
- Ele traz todos os livros e materiais necessários para casa?
  Se não, o professor pode escrever alguns bilhetes ou ele pode fazer um papel de anotações mais detalhado com uma coluna específica para anotar o material e livros a serem levados para casa.
- Ele faz a lição?
  Se não, descubra o que anda fazendo em vez da lição; então, siga os passos mencionados a seguir.
- Ele termina a tarefa e a guarda na mochila?
  Se não, deveria guardá-la na mochila assim que terminasse.
- Ele entrega o trabalho ao professor?
  Se não, talvez o professor precise colocar uma coluna na folha de anotações para dar um visto quando receber a lição.

Os professores não têm muito tempo para escrever e acompanhar bilhetes, mas, se seu filho estiver com problemas, devem fazer rápidas anotações uma ou duas vezes a fim de ajudá-lo. O que listei são capacidades que devem ser ensinadas no primário e são de responsabilidade da escola. Se o professor não demonstrar boa vontade em ajudar o aluno, o diretor precisa tomar conhecimento.

4 Prefira usar a técnica de "O que você planeja fazer?" em vez de brigar com seu filho de oito a dozes anos de idade por causa da lição de casa:

> *Carl, você precisa fazer um pouco de lição e sei que tem um exercício do livro para fazer. Hoje à noite vai passar seu programa favorito. Queria saber quando planeja fazer a lição?*

Se ele vier com *"Levantarei cedo amanhã de manhã!"*, diga: *"Isso poderia funcionar, mas realmente é melhor fazer a lição hoje à noite!"*.

Tentei essa técnica com Kyle quando tinha oito anos. O diálogo foi o seguinte:

Eu — Sei que você quer sair para brincar, mas tem lição de casa para fazer. A que horas você planeja fazê-la?

Kyle — O que você acha de eu sair com o David para brincar e voltar em quarenta minutos?

Eu — Bem, não é muito tempo para brincar.

Kyle — É, sim.

Eu — Se você acha que é suficiente, tudo bem. Mas como saberá que horas serão?

Kyle — Levarei um relógio.

Eu — Bem pensado, mas... e se você se esquecer de olhar no relógio?

Kyle — Mãe, prometo que se eu voltar tarde, amanhã só sairei de casa quando tiver feito minha lição.

Fiquei impressionada e satisfeita quando apresentou seu plano e sua Conseqüência lógica. Kyle voltou para casa quando os quarenta minutos acabaram e fez sua lição de casa sem dar um pio. Acho que o plano funcionou, porque ele escolheu seu próprio modo de resolver o problema.

Se seu filho não apresentar um plano que funcione ou não segui-lo, então abandone a tática de "O que você planeja fazer?". Tente novamente seis meses mais tarde.

5 Estabeleça um Gráfico de Melhor Comportamento (consulte o Glossário) para contar e celebrar a finalização da lição de casa. Dê uma estrela a seu filho quando colocar seu trabalho completo na mochila; se não, deixe o espaço em branco. Elogie as conquistas. Ignore as falhas.

Associe as estrelas a prêmios que pode ganhar nos finais de semana. Se cada estrela do dia eqüivale a dez centavos, ele pode adicionar mais cinqüenta centavos a sua mesada no sábado ou duas fichas de videogame quando for ao supermercado.

6 Descubra o que está atrapalhando e tire do caminho! Seu filho evita fazer lição de casa para brincar na rua, assistir à TV, ficar no computador, jogar videogame, falar ao telefone ou ler?
Restabeleça um Acordo Quando/Então e não volte atrás:

Quando terminar sua lição, então poderá ir brincar.

Com uma resistência crônica à lição de casa, não ceda aos resmungos e não aceite as mesmas promessas de sempre de "fazê-la mais tarde". Você deve bancar o Bicho-papão e aplicar a regra. Pense: *"Consistência, consistência, consistência."*.

Se você não fica em casa à tarde e não tem uma babá ou alguém que consiga administrar efetivamente o tempo de que seu filho dispõe depois da escola, a regra poderia ser: *"Assim que eu chegar em casa, você deve parar de brincar e começar a fazer a lição de casa!"*. Tenha uma Conseqüência efetiva em mente caso ele não a cumpra.

7 Se você estiver muito exausta, chegar em casa muito tarde do trabalho, não tiver um companheiro ou simplesmente achar desnecessária a luta pela lição de casa, solicite a ajuda do professor. Reconsidere este plano que tem funcionado para outras famílias:

- Encontre o professor de seu filho e diga que está muito preocupada com o problema da lição de casa. Conte as atitudes que tem tomado e veja quais as idéias que ele sugere. Se você tem força para continuar em suas tentativas, continue.
- Caso contrário, pergunte ao professor qual a Conseqüência que ele dá a uma criança que não entrega a lição de casa. Uma Conseqüência adequada, como ficar no recreio fazendo a lição, precisa seguir os seguintes critérios:
  – ser significativa para a criança (as crianças adoram o intervalo);
  – o professor ter controle sobre isso (pode ficar na sala de aula com o aluno ou levá-lo à sala dos professores);
  – você querer usá-la (não é extremamente punitiva);
  – é o mínimo (curta e pode ser usada diariamente).

Se a Conseqüência que o professor de seu filho geralmente usa não atende a esses critérios, peça a ele para reconsiderar uma outra Conseqüência. Alguns professores designam "frases prontas" aos alunos (por exemplo, fazer a criança escrever cem vezes "Prometo fazer minha lição de casa todos os dias!"). Essa Conseqüência pode ser significativa para as crianças (elas odeiam escrever frases prontas!), mas, na minha opinião, é falha com relação ao teste de "aceitação". O professor pode ser até capaz de fazer com que elas as escrevam, mas, se meu filho não quer fazer a lição, a última coisa de que precisa é um trabalho que tome seu tempo e não o ensine nada. O fato de saber que não usaria essa Conseqüência pode fazer com que questione sua efetividade de alguma maneira. Poderia ir muito além e ajudar meu filho a terminar a lição de casa, pois acho que escrever essas frases prontas no dia seguinte seria um desperdício de tempo!

Outros professores podem dar às crianças a Conseqüência de uma nota "F" pela lição de casa incompleta. Embora seja importante para uma criança ter uma Conseqüência, a nota "F" falharia no meu teste de "mínimo". Gostaria de ver outro tipo de Conseqüência ser aplicada primeiramente, tal como a diminuição de uma nota para cada dia de atraso (um trabalho valeria nota "A" se fosse entregue no prazo estipulado, mas a nota seria reduzida para "B" se fosse entregue no dia seguinte e assim por diante).

- Se você e o professor concordam com uma Conseqüência, diga a ele que está "batendo em retirada". Explique que suas reclamações, súplicas, ameaças, ajudas e gritos não estão funcionando. Você quer que seu filho dance conforme a música na escola e quer que o professor desempenhe o papel de disciplinador. Permita que todas as Conseqüências naturais ocorram: ficar na sala na hora do intervalo, desapontar amiguinhos, ficar constrangido diante dos colegas e, claro, eventualmente, o reforço positivo para terminar a tarefa. Deixe claro que você leva a educação de seu filho muito a sério e que não a colocaria nas mãos dele se não sentisse que não há outro jeito.

Pode ser difícil se retirar da luta da lição de casa. Lembre-se de que sua batalha ou sua retirada para o término da lição de casa não pode cair na armadilha de abrir mão para que seu filho mude de hábitos. A responsabilidade deve ser transferida de você para ele.

- Em casa, ignore suas táticas para evitar fazer a lição de casa. Você sabe que terá de fazê-la no dia seguinte, na escola, ou terá de enfrentar uma outra Conseqüência. Mantenha a política, *"Sem TV até que termine a lição!"*. Demais privilégios? Bom, isso você decide.

  É muito melhor para uma criança a experiência de sofrer as conseqüências naturais por não fazer a lição de casa (ficar na sala de aula durante o recreio, tirar notas baixas ou ter uma reunião com os pais e o professor) no ensino básico ou fundamental, do que mais tarde no ensino médio ou na faculdade.

- Mantenha interesse pela escola de seu filho e seus trabalhos escolares. Esteja preparada para elogiar as realizações. Delicie-se com a liberdade uma vez que é o professor que faz o trabalho pesado. Esse pode ser o último professor flexível que consiga!

8 Evite estabelecer prêmios de longo prazo, tais como: *"Eu te darei uma mesada a mais para cada A e B que tirar!"* ou *"Levarei você ao (maior parque que ele escolher) se conseguir recuperar as notas baixas!"*. Seu filho passará por um período difícil ao tentar atingir um objetivo que levará dez semanas para ser realizado. É melhor premiá-lo com um elogio ou um pequeno privilégio na mesma noite em que fizer a lição de casa. A realização escolar é baseada no desenvolvimento de vários hábitos bons de estudo e na conquista de muitos sucessos.

8
Muita TV

O PROBLEMA:

Sua filha se recusa a desligar a TV. Insiste em assistir durante as refeições ou antes de ir para a escola. Você está tão cansada disso que quer se livrar a qualquer custo. Você quer o uso, não o abuso da TV.

REFLEXÃO:

Muitos de nós temos uma relação de amor e ódio com a televisão. Relutantemente, introduzimos os programas infantis a nossos filhos para conseguirmos tomar banho ou ter um momento de privacidade no banheiro. Sabemos que a TV pode ser muito instrutiva ou apenas divertida, mas é a exposição à violência, aos temas adultos, à linguagem ofensiva e à estupidez total que nos preocupa. E os professores descobriram que as crianças que apresentam dificuldade de leitura assistem a muitas horas de TV por semana.

Assistir à TV com nossos filhos pode ajudá-los a desenvolver um entendimento do que vêem e uma desconfiança saudável do comercialismo; mas quem tem tempo para isso ou para monitorar ao que estão assistindo?

E que tempo perdido! E quanto a ler, desenhar, jogar bola de gude, cantar, contar histórias, bordar? E quanto a criar peças de teatro ou apenas esticar-se ao sol e respirar um pouco de ar fresco? Quanto mais tempo passarem na frente da TV, menos tempo e interesse as crianças terão para outros passatempos produtivos.

"Mas", você quer saber, "como consigo enjaular o monstro da TV? Sei que limitando o uso da TV estaríamos fazendo um favor às crianças, mas quem quer ser taxado de General?"

Repita comigo: *"Eu tenho o direito de limitar o uso da TV. Na verdade, é responsabilidade minha!"*. Leia a seguir:

AVISO: Se você e seu companheiro forem viciados em TV, terão de mudar os hábitos antes de tentar algo efetivo com as crianças.

COMO AFASTAR AS CRIANÇAS DA TV:

1 Mostre interesse por qualquer atividade que não esteja relacionada à TV. Sua filha aprenderá a dar valor àquilo que você valoriza. Diga coisas como:

Este livro parece ótimo. Fale-me a respeito dele.

Que torre alta você está fazendo com estas peças de encaixar.

Insetos? Tem certeza de que quer colecionar insetos? Vou mostrar um bom lugar para isso.

Estou adorando as cores de seu desenho. Quando ficar pronto podemos pendurar na geladeira?

2 Deixe claro do que não gosta na TV, assim suas regras não serão arbitrárias. É o tipo de programa a que assistem ou o tempo que passam na frente da TV? Se for a qualidade da programação, tente o seguinte:

- Permita os programas de canais educativos, mas limite os comerciais. Você pode gravar os programas e avançar a fita durante as propagandas. Se sua filha estiver assistindo ao programa em "tempo real", insista para que deixe a TV muda durante os comerciais.
- Se não gosta de violência, não permita desenhos violentos nem programas policiais. Se está preocupada com sexualidade, temas adultos etc., não permita programas depois das oito e meia da noite ou qualquer programa ofensivo que possa identificar. Ensine a seus filhos a diferença entre noticiário e sensacionalismo.
- Sente com seus filhos e discuta sobre o programa a que estão assistindo. Não fale mal do programa, apenas faça observações para ajudá-los a desenvolver um senso crítico.

3 Se o problema for o tempo que passam na frente da TV, selecione um dos planos abaixo e o aplique a seu modo:

- Sem TV durante a semana. Permita uma hora de noticiários diariamente para ser assistido em família.
- Limite o uso da TV durante a semana. De manhã, quando as crianças estiverem totalmente prontas para ir à escola, podem assistir até cinco minutos antes da hora de sair de casa. Quando a lição já estiver feita, podem assistir até a hora do jantar. Outras variações: permita que assistam a eventos especiais de esportes, um filme clássico ou meia hora de um programa favorito durante a semana.
- TV só no fim da tarde. Meia hora por noite. Nas noites em que tiverem muita lição de casa, grave os programas de TV favoritos para que possam assistir na noite seguinte ou no fim de semana. A TV não pode competir com a hora de dormir; primeiro garanta que as crianças estejam de banho tomado, de pijama e com os dentes escovados. Então, se o horário de ir para a cama é oito e meia, as crianças devem estar de pijama e com os dentes escovados às sete e meia. Podem assistir a um programa de meia hora. Às oito é hora de tomar um copo de água, ler uma história e dar boa noite, com a luzes apagadas às oito e meia.
- Negocie o uso da TV. Suas crianças podem ganhar uma hora de TV, se lerem ou fizerem outros projetos criativos ou trabalhos escolares. Tente meia hora de TV para cada livro lido ou quinze minutos por terem feito a lição de casa. Os ganhos podem ser pagos durante a semana ou diariamente, depois que as obrigações e os deveres escolares estiverem prontos.

4 Não mantenha a TV ligada como som ambiente; sua filha pode ficar viciada e encontrar dificuldades para desligar a TV por toda a vida.

5 Não seja uma viciada em TV. Suas crianças dirão: *"Não é justo. Você assiste à TV toda noite!"*. A TV pode interferir na vida pessoal de um casal, reduzir o benefício das refeições familiares e fazer a arte da conversação desaparecer. Coloque um livro na cama, ou melhor, coloque-o no lugar do controle-remoto!

6 Introduza atividades familiares que não envolvam a TV. Sua mensagem seria: *"TV não é importante!"*. Faça uma mesa de jogos para montar um quebra-cabeça, brinquem com jogos de tabuleiro, leiam juntos, pegue livros e revistas da biblioteca e deixe-os em um lugar a que toda a família tenha acesso fácil. Quem resiste às palavras-cruzadas ou a um livro de adivinhação (ligar os pontos ou jogo-da-velha para os mais novos) e um lápis bem-apontado e novinho?

7 Descubra o rádio. Maravilhosas revistas informativas são transmitidas pelas estações de rádio nacionais e públicas. Há horários de histórias infantis, música em família, show de variedades e entrevistas que as rádios podem oferecer a toda a família, dando a todos a oportunidade de redescobrir o uso de seus ouvidos e o uso dos "olhos da mente".

8 Faça uma Reunião de Família para mudar os hábitos de assistir à TV:

- Mencione o problema: *"A TV está interferindo em nossas vidas. Brigamos por causa da TV todos os dias!"*.
- Mencione como se sente diante do problema: *"Estou muito frustrada e queria me livrar da TV!"*.
- Chuva de Idéias: *"Estou aberta a sugestões de como podemos assistir a menos TV e aproveitar nosso tempo melhor!"*.
- Selecione um plano com que todos concordem para experimentar por uma semana (se as crianças não forem cooperativas e não apresentarem nenhum plano, ofereça a elas outras sugestões que considere razoáveis).
- Tenha uma outra reunião para acompanhar o plano e seus resultados.
- Decida manter o plano ou o adapte para que funcione melhor.

Uma família que conheço, ex-candidatos ao trono de Campeões Mundiais de Uso de TV/Videogames, tiveram uma Reunião de Família e decidiram mudar a TV para o escritório do papai. À noite, em casa, os membros da família agora lêem (até as crianças lêem os jornais), jogam, usam o computador ou simplesmente conversam. A batalha pela lição de casa é menor, uma vez que a TV não compete com ela. Se vai passar um programa a que toda a família quer assistir ou todos querem alugar determinado filme, eles fazem uma noite da pizza no escritório do papai.

Livrando-se da TV, a família acabou ganhando qualidade em seu dia-a-dia e ficou mais reunida.

9 Tente esta experiência: ponha a TV de lado por uma semana, então faça a Reunião de Família e note a diferença em suas vidas. O que era melhor? O que era pior? Você realmente sente falta de alguma coisa? Quer ajustar seu modo de assistir à TV para sempre?

10 Não dê à criança uma TV para colocar no quarto. Se, infelizmente, ela já tiver uma e assistir à TV for um problema, remova-a já.

11 Use um Comunicado para preparar sua filha para desligar a TV. Ninguém gosta de ser interrompido, mas um Comunicado pode ajudar:

Mamãe: Cassie.

Criança: (olhos grudados na TV, quase não escuta) Sim, mãe?

Mamãe: Cassie, por favor, olhe para mim. (ela olha para a mãe)

Mamãe: Obrigada. Em cinco minutos será a hora de desligar a TV e se sentar à mesa para jantar.

Criança: Tudo bem.

Mamãe: Obrigada. (cinco minutos mais tarde)

Criança: Mas, mãe, já passaram cinco minutos?

Mamãe: (calmamente use a Técnica do Disco Riscado) É hora de desligar a TV.

Criança: Ah, mãe. Vai passar um programa superlegal. (ela pega o controle e desliga)

Mamãe: Obrigada, querida.

COMO DIZER "NÃO" E NÃO VOLTAR ATRÁS:

1 Se ela se recusar a desligar a TV quando você pedir, apresente esta Escolha.

Escolha feita pela criança perfeita:

Mamãe: Você desliga ou eu desligarei. O que prefere?

Criança: Droga. Por que sempre tenho de desligar? (vai até a TV e desliga)

Mamãe: Obrigada.

Mais próximo da realidade:

Mamãe: Você desliga ou eu desligarei. O que prefere?

Criança: (silêncio)

Mamãe: Você desliga ou eu desligarei. O que prefere?

Criança: (recusa-se a escolher)

Mamãe: Parece que você quer que eu escolha.

Criança: Tudo bem, tudo bem. Mas não sei por que tenho de desligar. Você assiste à TV sempre que quer. (caminha até a TV e desliga)

Mamãe: Obrigada.

Uma criança prefere desligar ela mesma a TV, mesmo sob protesto, a deixar que a mãe o faça. E, como nunca é bom entrar em conflito físico com sua criança, ela mesma desligar a TV elimina a possibilidade de ambas brigarem pelo controle-remoto.

Essa mãe não se deixou levar pelo desafio da criança: *"Você assiste à TV sempre que quer!"*. Se é verdade ou não, não é a questão. Você pode discutir justiça mais tarde, depois que a TV estiver desligada.

Se ela desligar a TV, elogie-a com um simples *"Obrigada!"*, mas não seja cínica. Se ela se recusar a desligar, você desliga. Não tenha dúvidas de que ela terá algum tipo de explosão de raiva.

2 Se sua filha tentar fazer um acordo: *"Eu trocarei de roupa assistindo à TV!"* e você realmente quer ceder (sua molenga!), eu não posso impedi-la. Recomendaria, entretanto, fazer um belo trato.

Criança: Eu me trocarei se você me deixar assistir à TV.

Mamãe: Vai ficar totalmente pronta? Inclusive com os sapatos?

Criança: Sim, prometo.

Mamãe: Tudo bem, vamos tentar. Mas, se não estiver pronta em sete minutos, inclusive com os sapatos, fim da TV. De acordo?

Criança: Tudo bem.

Mamãe: Combinado, então.

Se ela estiver pronta, faça um elogio. Se não, desligue a TV. Acordos desse tipo podem levá-la direto a lutas antigas, e aparentemente vencidas, se for muito flexível.

3 Se, quando você desliga a TV, ela se joga no chão e começa a chutar e gritar (sem se machucar nem aos outros), ignore até que se acalme. Vire-se, controle-se e concentre-se em alguma outra coisa. Ande, não corra, para fazer uma ligação, lavar louça, dar uma olhada no jornal... A mensagem não falada será: *"Seus gritos não farão com que eu mude de idéia!"*.

4 Se ela chutar a parede, fechar a porta com força, bater nos móveis, dê uma Advertência de Conseqüência: *"Se estragar alguma coisa, você pagará por isso com 24 horas sem TV!"*.

Sem dúvida, ela tentará mais uma ou duas pancadas, mas sem força para não causar nenhum estrago. Ignore as manhas e as caras feias. Se ela piorar e estragar alguma coisa, aplique a Conseqüência imediatamente. (Se você ou sua filha têm ataques desse tipo freqüentemente, procure um especialista comportamental para que possam ter a orientação necessária.)

5 Quando a explosão de raiva terminar e a Conseqüência for dada, ela "dará um pequeno passo rumo à direção correta", tentando colocar o que sente em palavras ou usando um tom de voz suave para negociar um acordo ("Prometo me vestir se puder assistir à TV!"). Você pode responder de maneira positiva, mas não permita que a TV fique ligada, para não recompensar sua filha pela explosão de raiva.

Criança: (com a voz calma) Prometo que me vestirei se você me deixar assistir à TV.

Mamãe: Aprecio sua promessa, mas perdeu a TV por hoje. Quando estiver vestida, por que não lê ou desenha até a hora de ir para a escola?

6 Lembre-se de que a Conseqüência deve ser significativa para a criança e você deve ser capaz de aplicá-la! Exemplos:

Desligue a TV agora ou sem TV pelo resto do dia.

Desligue a TV agora ou você irá para a cama quinze minutos mais cedo.

Desligue a TV agora ou ficará dez minutos de Castigo.

7 Se quando você desliga a TV sua filha volta a ligá-la, remova o aparelho de casa. Ponha-o no porta-malas do carro ou na garagem. Antes de trazê-lo de volta, estabeleça um acordo para o uso da TV no futuro.

> *Se você seguir as minhas regras sobre o uso da TV hoje, ou seja, assistir apenas por uma hora, desligar assim que o programa terminar e entrar em acordo com sua irmã sobre a qual programa vão assistir, então ganharão a TV amanhã.*

8 Elogie sua filha quando seguir as regras sobre o uso da TV e desligá-la quando for pedido. "*Gosto do jeito com que tem cooperado. Obrigada!*"

9
Videogames e Outros Brinquedos Problemáticos

O PROBLEMA:

Seu filho implora para que você compre brinquedos que considera violentos, viciosos, perigosos, sexistas, racistas e muito caros. Você entende o quanto deve ser difícil para uma criança querer alguma coisa que a maioria dos amigos tem, mas que você gostaria que ele entendesse e aceitasse a sua decisão de não dar?.

REFLEXÃO:

Esta é outra armadilha, porque, mais uma vez, seus sentimentos podem ficar confusos. Será que os videogames são tão viciosos e desnecessariamente violentos? É bem possível.

Se os proibirmos, não estaremos privando nossos filhos de algumas capacidades que ainda não foram determinadas, mas que são absolutamente imperativas para o sucesso deles no futuro? Ou não estaremos fazendo com que nossos filhos sejam afastados de seus amigos que têm videogames?

E as armas de brinquedo? Elas estimulam a agressão? As crianças que brincam com armas tornam-se mais violentas do que as crianças que não brincam, ou a violência é mais complexa do que armas? Armas de respingar são apenas para diversão? E as que se parecem com metralhadoras Uzi... será que essa brincadeira com água não está indo longe demais?

E os brinquedos que parecem perigosos, como patins e skates... Capacetes, joelheiras, protetores de cintura e luvas são o suficiente para proteger a criança? Devemos apenas ignorar nossos medos e confiar que nossos filhos não vão se machucar? Estaremos sendo superprotetores se dissermos "não" sempre que pedem um desses brinquedos? Estaremos atrapalhando seu relacionamento com os colegas caso sejam a única criança do quarteirão que não pode ter um skate?

Uma menina que brinca com a Barbie pensa menos em si mesma do que uma que não brinca? A forma voluptuosa da Barbie faz com que nossas filhas se odeiem? Sabemos que os povos nativos e outros grupos se sentem profundamente ofendidos pela idéia de "caubóis e índios" e que a auto-estima das crianças pode ser afetada por imagens culturais negativas. Os fabricantes de brinquedos lançam todos os tipos de bonecas e kits culturalmente diversos, mas, como pais, temos a difícil função de distinguir entre o que é uma representação autêntica e respeitosa e o que seria uma representação estereotipada e provavelmente depreciativa.

Se está sendo difícil impor limites às compras de seus filhos, isso pode ser devido ao fato de você e seu marido discordarem quanto à política de brinquedos. Seu companheiro pode pensar que a TV é muito mais perigosa do que a Barbie, ao passo que você já não tem certeza, mas banirá ambos, se necessário. Pode achar que determinado jogo de videogame fará de seu filho um zumbi, mas seu marido quer comprá-lo porque simplesmente a criança adora! Não posso ajudar muito aqui, mas posso ajudá-la a esclarecer seus próprios valores em primeiro lugar e, então, negociar um compromisso com seu marido da melhor maneira que puder.

Quando conversarem, analise as questões que estão por trás do impulso de dizer "não". Há uma maneira de redirecionar essas questões em particular? É possível alugar ou pedir emprestado determinado jogo de videogame para ver se seu uso pode ser regulado? Se já tem um video-game, pode ser seletiva na escolha dos jogos e estabelecer limites no nível de violência e quantidade de tempo que seu filho passa jogando? Há uma maneira de proteger adequadamente seu filho das quedas de patins ou skate? Adiantaria praticar no quintal? Existem bonecas não atraentes e que podem proporcionar tanta diversão quanto aquela com os peitos turbinados?

Se negarmos completamente determinado item a nosso filho, ele poderá ficar obcecado pelo brinquedo, pode passar as próximas duas semanas reclamando: *"Mas o Jack tem um!"* e correr para a casa do Jack sempre que puder. Talvez comprar o brinquedo desejado possa acabar com a obsessão, mas não é a solução.

O que eu acho é que vai chegar o dia em que sua decisão de negar um brinquedo a seu filho levantará protestos e crises em que a criança dirá que morrerá sem o brinquedo. Quando essa hora chegar, use o seguinte guia para chegar a um entendimento mútuo.

COMO EVITAR A GUERRA DOS BRINQUEDOS:

1 Uma maneira de se preparar para a guerra dos brinquedos é antecipar as situações problemáticas. Observe seus amigos que têm filhos um pouco mais velhos que o seu. Qual o tipo de dilema enfrentaram ou têm enfrentado com relação aos brinquedos? Pense em como administrar tais desafios.

Assim que identificar uma dessas situações, fale com outros pais em quem confie. Eles determinaram "sem videogames" (ou qualquer outro brinquedo em questão) na casa deles? Como se sentiram em relação à decisão tomada? De que modo isso afetou seus filhos? Os outros filhos ficaram contra os pais ou simplesmente aceitaram que videogames não eram permitidos?

Fale com pais que não pensam como você, que permitem armas de brinquedo, videogames, Barbies (ou qualquer outro brinquedo). Qual o efeito disso nos filhos deles? Você pode ouvir: *"Ele brincou com isso 24 horas por dia durante duas semanas e, então, nunca mais o vimos com esse brinquedo novamente!"*. Mesmo os jogos mais viciosos podem ser esquecidos no canto do quarto. Sua preocupação pode ser à toa.

2 Esclareça seus valores e estabeleça as regras desde cedo. Claro que seu filho pode ou não adquirir os mesmos valores, mesmo que respeite as regras.

Meus filhos aprenderam desde bebês que a mamãe e o papai não permitiam armas. Apesar de nossas regras, meu filho sempre gostou delas e queria brincar toda vez que um amigo aparecia com alguma arminha em casa. Com o tempo, vi meu filho cansar de brincar com armas e, assim, acabava propondo a seus amigos para brincarem de alguma outra coisa. Se um amigo levasse armas para brincar em nossa casa, Kyle nem mesmo as pegava. É impossível saber se Kyle adquiriu nossos valores ou se apenas desenvolveu outros tipos de interesse.

3 À medida que seu filho cresce, discuta com ele sobre as imagens e as mensagens transmitidas pelos brinquedos que preocupam você. Assista aos programas de TV com seus filhos a fim de reduzir os efeitos negativos da televisão, identifique e questione as imagens e as mensagens apresentadas, deixe que conheçam suas preocupações e valores com relação ao tipo de mensagens que existem nos brinquedos que escolhem. Explique que é impossível uma moça ter o tipo de corpo da Barbie, a menos que faça cirurgias, que vão das mais simples às mais complexas. Se sua filha ficar confusa, use exemplos de monstros, em vez de figuras de pessoas. Se você dá à criança informações históricas sobre povos nativos, colonizadores, piratas e soldados, sua brincadeira imaginária pode incluir menos estereótipos.

4 Evite passar longos sermões; um simples comentário pode ser o suficiente. Mantenha qualquer discussão de maneira rápida, suave e calma.

> *Sua mãe e eu pensamos muito sobre as armas de brinquedo. Acreditamos que matar é errado, que atirar em pessoas é errado e que mesmo brincar de atirar é errado. Portanto, decidimos que não devemos ter armas em casa e esperamos que compreenda.*

Lembre-se do conceito de neutralidade. Depositar muita atenção em algo pode despertar a curiosidade, então vá devagar nas desgraças morais.

5 Se as questões em torno da compra de brinquedos surgem durante uma visita ao shopping, ajude seu filho a se acostumar com a idéia de que a maioria das visitas às lojas de brinquedos é para comprar presentes de aniversário para outras crianças. Prepare-o, avisando:

> *Vamos à loja de brinquedos para comprar o presente de aniversário de Tony. Não é hora de comprarmos um presente para você. Você vai ver coisas que vai querer, mas não as compraremos hoje.*

Se os pais de Tony também são contra soldadinhos do Exército, por exemplo, é o seu grande dia. É sempre bom ter um amiguinho no mesmo barco.

Seu filho: Vamos levar um GI Joe para o Tony.

Você: Sei que Tony gostaria, mas a mãe dele me pediu para não dar esse tipo de presente. Eles também não gostam de ter bonecos de combate na casa deles. A mãe de Tony também disse que ele gosta de fitas de música ou qualquer outra coisa relacionada a insetos.

Seu filho: Legal! Vamos comprar uma gaiola de insetos.

Você: Ótima idéia.

Agora, não podemos ter certeza se Tony vai se tornar um sádico torturador de insetos, assim como não temos certeza se todos os nossos valiosos esforços vão resultar em menos agressividade nas crianças, mas, afinal de contas, estamos aqui para tentar transmitir os nossos melhores julgamentos.

6 Tenha certeza de que não está passando uma mensagem ambígua, dizendo em uma hora: *"Você pode comprar tudo o que quiser com a sua mesada, afinal de contas é sua!"* e em outra: *"Sem metralhadoras de água Uzi!"*.

7 Antes de a guerra começar na loja de brinquedos quando contar a má notícia a seus filhos de que não poderão levar um jogo de videogame ou uma Barbie, tenha uma discussão aberta e honesta com eles em uma hora apropriada (a hora de dormir é um bom momento, mas comece cedo, já que isso pode demorar um pouco). Pergunte a seus filhos como se sentem com relação à regra imposta. Enfatize seus conceitos sem voltar atrás em sua decisão (veja Espelho). Você pode começar dizendo algo como: *"Sei que estão desapontados por decidirmos não ter videogames!"*.

Por outro lado, você poderá ficar surpresa com a facilidade que os filhos têm em aceitar nossas decisões, quando falar uma só vez e eles não insistirem. É possível que ouça seus filhos comentarem com um amigo que: *"Na verdade, não tenho Nintendo, mas você já jogou Banco Imobiliário? É muito legal!"*.

8 Se alguém dá um brinquedo proibido, você e seu companheiro precisam decidir juntos qual a melhor maneira de agir. Não acho que devolver seja uma boa idéia; não seria uma boa atitude e, além do mais, poderia deixar amigos ou parentes constrangidos.

Você pode, por exemplo, apenas decidir que não se sente confortável em ter uma arma em casa, mesmo que seja de brinquedo. Sente-se com seu filho e explique suas razões. Diga que irão à loja e que ele poderá trocá-la por qualquer outro brinquedo.

Se decidir permitir que a criança fique com o brinquedo, de qualquer maneira se sente com ele e compartilhe seus conceitos sobre armas, tente dizer algo como: *"A tia Marge não sabia que não permitimos armas em casa e não quero magoá-la devolvendo o presente. Você pode até ficar com o brinquedo, mas teremos de colocar algumas regras sobre seu uso!"*. Quando minha querida amiga Della quis dar à minha filha Miranda uma Barbie (algo que eu não queria que Miranda tivesse), concordei com certa relutância. O presente não foi o fim do mundo, não acabou com a paixão da minha filha pela leitura nem impediu seu sonho de se tornar médica; do mesmo modo, aos doze anos de idade, nem ela nem os garotos ficaram obcecados pela forma do corpo da boneca. Acredito que seria muito mais prejudicial se eu proibisse um presente que havia ganhado de uma "tia" tão especial.

Quando outra amiga, de fora da cidade, que estava nos visitando, deu a meu filho um presente de aniversário perigoso, eu o guardei para evitar que acontecesse alguma coisa que pudesse constranger meu filho ou minha amiga. Kyle havia ganhado outros presentes, então guardei aquele em uma prateleira alta, e acabou caindo no esquecimento até este ano. Um brinquedo que era impróprio para uma criança de quatro anos, agora é maravilhoso para uma de oito.

9 Se seus filhos parecerem especialmente obcecados por imagens de violência ou agressão, descubra maneiras construtivas de canalizar essa energia e impulsioná-la por meio de atividades esportivas, como nadar, andar de bicicleta ou lutar karatê. Da mesma maneira, estabeleça limites para os tipos de programas de televisão e filmes a que eles assistem. Talvez haja certa discordância quanto a serem programas realmente prejudiciais ou não, mas com certeza não são úteis.

COMO DIZER "NÃO" E NÃO VOLTAR ATRÁS:

1 Não diga "não" até estar definitivamente decidida e nunca estabeleça uma regra se não estiver completamente convicta. Se ceder às manhas ou às explosões de raiva, vai estar ensinando a seu filho que essas atitudes podem ajudá-lo a conseguir o que quer.

2 Seu filho pode estar quase convencido de sua decisão, até que entre em uma loja e dê de cara com a tentação de um brinquedo recém-lançado. Nessas ocasiões, tente as seguintes abordagens:

- Lembre-se do valor do "redirecionamento". Prefira dizer a seu filho o que ele pode, em vez de ficar focada naquilo que não pode. Na loja, responda à pergunta: *"Mãe, posso comprar os patins in-line?"* com: *"Você pode comprar os patins de rodinhas!"*, ou, quando houver a indagação: *"Pai, olha que arma legal! Podemos comprar?"*, use a resposta: *"Você pode escolher um jogo ou um caminhão hoje!"*.

- Talvez seu filho tenha aceitado sua decisão, mas isso não significa que goste dela ou que não vá oferecer nenhum tipo de protesto, quando, por exemplo, forem à loja de brinquedos para comprar um presente para seu outro filho. Quando as exigências começarem, dê uma Ordem firme. Em resposta à argumentação, repita a mensagem, usando a Técnica do Disco Riscado, Advertências e Conseqüências se necessário. (Veja discussões similares sobre comportamento em lojas no Capítulo 19 – Súplicas no Supermercado e no Capítulo 21 – Dinheiro.)

  Usando a Técnica do Disco Riscado:
  (Os pais repetem a mesma resposta para todos os argumentos dos filhos.)
  Vamos comprar apenas para seu irmão hoje.

  Usando a Advertência de Conseqüência:
  Se você continuar a me aborrecer, não vamos parar no caminho de casa para tomar sorvete como havíamos planejado.

  Aplique a Conseqüência, se necessário.

3 Em geral, não passe sermões, não dê explicações nem brigue com seu filho durante a guerra dos brinquedos. Conseguir que seu filho raciocine durante uma explosão de raiva é impossível e você só estará perdendo seu tempo. Talvez mais tarde, durante o dia ou à noite, faça uma breve explanação, deixando claro para ele seus valores e conceitos sobre a violência ou os valores racistas ou sexistas que estão implícitos em determinados brinquedos.

10
Exigências para Comer

O PROBLEMA:

Seu filho é um comedor exigente, se recusa a comer o que o resto da família está comendo, exige uma refeição especial ou implora por um sanduíche na hora de dormir. Cada vez mais é preciso dar a ele bobeiras para comer, muito mais do que gostaria, porque são as únicas coisas que come.

Você quer cozinhar algo que toda a sua família coma e gostaria que fosse apenas um tipo de refeição por noite e não um prato para cada comedor exigente.

REFLEXÃO:

As crianças têm grande poder sobre os pais quando o assunto é comida. A maioria das mães relaciona diretamente os cuidados e o conforto à alimentação. Quando nossos filhos não comem, entramos em pânico. Nossos conceitos começam desde cedo: pânico quando o nosso recém-nascido demora uma semana para aprender a mamar, preocupações quando começam a comer comida sólida, dosagem de verduras *versus* dietas sem verduras para nossos bebês, a incerteza se ou quando podemos permitir que comam doces e comidas artificiais e, por fim, questionar se na idade escolar a criança está tendo uma dieta nutritiva quando come somente hambúrguer, pizza e macarrão.

Anuncio desde já que tenho uma posição bastante rígida em relação a ceder aos caprichos alimentares das crianças; sou totalmente contra.

Não é necessário matar ninguém da família de fome nem tampouco deixar que as refeições sejam ditadas exclusivamente pelas crianças. Muitas pessoas que adoram cozinhar ficam desencorajadas quando o cardápio é reduzido aos prazeres infantis.

Recomendo um plano de comer que é bastante simples, nutritivo e que transfere a responsabilidade de comer para a criança, mantendo os pais fora do perigo de se envolverem demais a ponto de causar transtornos maiores.

PROMOVENDO UMA ALIMENTAÇÃO SAUDÁVEL:

1 Planeje três refeições diárias para a família (seu filho pode ajudar). Inclua alguma coisa que a cozinheira queira fazer e um complemento nutritivo, como massa, arroz ou batata para os mais exigentes.

2 Providencie também um ou dois lanches, se quiser, mas com o cuidado de acrescentar alimentos saudáveis, como frutas, verduras frescas ou iogurte. Os mais novos guias nutricionais recomendam como dieta ideal aquela baseada principalmente em frutas, verduras, todos os tipos de grãos e legumes, bem mais leve em laticínios e proteínas, e com uma pequena porcentagem de gordura por dia.

3 Como regra geral, não admita qualquer tipo de lanche que tire o apetite das crianças nas refeições principais. Se quiser permitir certa flexibilidade para "horas vagas" em sua casa, mantenha uma tigela de frutas sobre a mesa ou uma travessa de vegetais lavados e cortados na geladeira. Uma regra que funciona na maioria das casas é: é permitido comer qualquer coisa que queira, desde que seja alguma coisa que poderia ser servida, com muito gosto, nas principais refeições, tal como uma maçã ou uma salada, cereais, bolacha cream cracker ou um ovo cozido.

4 Evite tanto quanto for possível frituras, salgados, doces e comidas coloridas e aromatizadas artificialmente. Essas não são apenas comidas prejudiciais à saúde, mas acostumam mal seus filhos, que acabam não gostando de outros alimentos. Se ficarem empanturrados de batata frita e refrigerante, jamais ficarão satisfeitos com o açúcar natural das frutas, o gosto sutil dos vegetais ou a fragrância das ervas e demais temperos. Se preferir que não comam determinados tipos de comida, não os compre.

5 Deixe claro que espera que todos estejam em casa para as refeições e que se sentem à mesa juntos. Se o horário de todos os adultos que trabalham fora for caótico, tentem comer juntos pelo menos duas vezes por semana. Algumas famílias jantam ou fazem um lanche reforçado todos os domingos; outras acham que o café da manhã é o horário perfeito para passar alguns minutos juntos.

6 Mesmo que elogiem o mestre-cuca, não deixe que o assunto central seja a comida. Fale sobre as atividades do dia ou sobre o que farão durante a semana. E não se esqueça de comentar se seu filho estiver comendo bem, provando coisas novas e assim por diante. O elogio dos pais a um filho serve de incentivo aos outros.

(Franklin está devorando as ervilhas)

Mamãe: Está na cara que você gostou das ervilhas, Franklin.

Ralph: Mãe, também experimentei, não são tão ruins.

Mamãe: Que bom que provou, Ralph.

7 Sirva pequenas porções ao comedor exigente. Uma ou duas colheres de sopa podem ser o suficiente. Parecerá mais atraente e pode ser que peça mais.

8 Não implore para que seu filho coma. Tenha uma regra: *"Precisa provar de tudo pelo menos uma vez. Se não gostar, não terá de comer mais!"*. Surpreendo-me muito com as respostas de meus filhos quando provam alguma coisa que achavam que odiariam: *"Não é ruim!"* ou *"Pode me dar mais um pouco disso!"*.

Algumas famílias usam com sucesso, a regra de "três garfadas" para comidas que as crianças torcem o nariz. Isso substitui o perigoso Clube do Prato Limpo dos anos cinqüenta. Claro que não devemos forçar uma criança a dar três garfadas em uma comida que a faça vomitar.

9 Nunca mantenha a TV ligada durante as refeições (exceto na noite da pizza com filme).

10 Não desista definitivamente de um alimento, como pães integrais, macarrão, arroz ou determinado vegetal. Se seu filho fizer cara feia, retire-o do cardápio e introduza-o novamente depois de um ou dois meses. O gosto das crianças se desenvolve e muda rapidamente. Minhas crianças agora me surpreendem pedindo para comer as mesmas comidas que há alguns meses ou anos mal podiam ver.

11 Use a criatividade. Faça sanduíches com uma fatia de pão branco e uma de pão integral. Coloque um pouco de espinafre no omelete ou lasanha. Introduza pedaços de brócolis em uma tigela de macarrão e parmesão e, então, aumente a quantidade a cada prato que serve.

12 Não ceda demais aos diversos desejos dos membros da família quando o assunto é comida. Encontre meios de encorajar todos a comerem a mesma refeição. Quase fiquei louca com o fato de meus filhos nunca gostarem da mesma comida. Para encorajar meu filho a comer macarrão com molho marinara (o favorito de sua irmã), comecei a servir seu macarrão com um pouquinho de molho e, então, colocava bastante parmesão. Ao longo do ano diminuí a quantidade de "molho vermelho" e fiquei chocada, na semana passada, quando ele me pediu "mais molho", como sua irmã sempre faz.

COMO DIZER "NÃO" E NÃO VOLTAR ATRÁS:

1 Se seu filho faz comentários negativos, do tipo *"Eca!"* ou *"Ui, isto fede!"*, corrija-o uma só vez:

> *"Comentários cruéis sobre a minha comida não são bem-vindos à mesa. Se você preferir que esta sopa não seja mais servida, deixe para falar depois do jantar!".*

2 Depois de estabelecer a regra, ignore comentários negativos, mudando de assunto, criando uma distração ou dando atenção a outra criança que esteja comendo bem e mantendo uma conversa adequada:

Joey: Odeio isto.

James: Eu gosto.

Papai: Que bom que gosta, James. Ei, crianças, contem sobre o treino de futebol de hoje.

Joey: Pai. Me dá mais um pouco de peixe?

James: Como consegue comer essa coisa?

Papai: Claro, Joey, me passe seu prato. Quer mais arroz também?

Claro que, se a criança continuar a fazer comentários negativos, você pode dar a ela uma Conseqüência, como sair da mesa por alguns minutos.

3 Se seu filho se recusar a comer, diga, calmamente: *"Precisa dar três garfadas!"* ou *"Gostaria que desse ao menos uma garfada!"*. Um Lembrete pode ajudar: *"Lembre-se de que não vou preparar mais nada para comer hoje à noite!"*. Então, apenas ignore se não comer. Sua meta principal é não entrar em conflito durante as refeições.

Algumas crianças respondem bem ao *"Se quer sobremesa hoje à noite, deverá comer ao menos três colheres de carne!"*. É claro que há um risco em usar doces como recompensa, mas perigo maior é fazer com que a refeição se torne uma batalha constante.

Se geralmente há sobremesa, tenha a política de que a sobremesa é um pequeno prazer que só se consegue por ter comido direitinho. Entretanto, não relacione sobremesa a limpar o prato.

4 Nenhum adulto deve levantar da mesa para cozinhar para uma criança com cara feia, que se recusa a comer o que está sendo servido. Para crianças que exigem outra comida existem duas escolhas:

- Simplesmente diga *"Não!"*.
- Ou diga: *"Se não gosta do que está sendo servido, fique à vontade para comer frutas!"*. Ou ele pode fazer ovos mexidos, cenouras em palito ou torrada com queijo. Cereais também vão bem, mas guarde os açucarados para sobremesas.

Prefiro a alternativa do "Não!", mas, se prefere o "Fique à vontade...", tudo bem. Você também deve pedir que ele limpe a sujeira e arrume a bagunça que fizer na cozinha.

5 Se seu filho for rude ou desordeiro por qualquer razão, deve sair da mesa por um curto período de tempo. Pode fazer isso por meio de um Castigo formal ou dizendo: *"Vá para seu quarto. Quando estiver pronto para conversar agradavelmente (parar de chutar, comer com o garfo, mastigar com a boca fechada) volte para a mesa!"*. Claro que é preciso ignorar qualquer queixa.

6 Se seu filho se recusa a comer completamente, abandone suas regras referentes a "prove uma vez" ou "três garfadas". A menos que seu filho esteja perdendo peso repentinamente (nesse caso, deverá procurar um médico), não é perigoso ficar sem fazer uma refeição de vez em quando. Lembre-se de que seu papel é não entrar em conflito.

Exija apenas que seu filho se sente à mesa durante a refeição. Continue conversando com ele como faria com qualquer outro que estivesse comendo. Se não comer mesmo e preferir não se servir de outra coisa, não dê a ele mais nada. Seu filho não morrerá de fome durante a noite e é muito provável que tenha um farto café da manhã no dia seguinte.

7 Se seu filho normalmente não sente fome no horário das refeições, quando já estiverem pondo em execução o plano de três ou cinco refeições familiares, verifique seus hábitos. Procure saber se as crianças param no caminho de volta da escola para comer hambúrguer, se comem porcarias na casa de amigos ou se enchem a barriga de baboseiras ou doces de aniversário guardados há meses embaixo da cama.

8 Não se deixe levar pelas lamúrias de *"Estou faminto!"* de seu filho na hora de dormir, geralmente acompanhadas com a mão na barriga. É mais do que provável que isso seja uma tática para não ir para a cama. Uma boa resposta é: *"Que bom, você comerá muito bem no café da manhã!"*.

9 Se estiver preocupada por achar que seu filho apresenta sintomas de anorexia (falta de apetite) ou bulimia (vômito forçado para controlar o peso) ou se observar repentina perda ou ganho de peso (sinal de depressão), procure um médico imediatamente.

11
Doces

O PROBLEMA:

Sua filha exige doces, chicletes, bebidas adocicadas e sobremesas toda noite. Come bastante em todas as festas e aniversários que vai. Não é possível ceder a todos esses pedidos ou seus dentes cairão. Será que uma criança não pode aceitar um não, mesmo que por meia hora e se contentar ou, pelo menos, ficar quieta?

REFLEXÃO:

O mundo é cheio de tentações e nem todas são boas para a saúde. Produtos adocicados e amanteigados têm seu preço e, como não podemos deixar que nossos filhos decidam, mais uma vez, juntamente com nossos companheiros, ficamos taxados como malvados e seremos chamados de Patrulheiros dos Doces.

Muitas famílias se esforçam para evitar o consumo de doces até que seus filhos sejam expostos a eles (em festas de aniversário, por exemplo). Não é um plano ruim e poderá ser usado por alguns anos. Alguns pais vão além, levando comidas alternativas para festas (uvas secas, bolachas, iogurte) na esperança de conseguir manter seus filhos longe do bolo e do refrigerante. Certamente, quando a criança for grande o suficiente para perceber que seu "banquete" é diferente dos demais da festa, incluindo sua mãe que sempre bebe refrigerante light, lambendo os dedos cheios de açúcar, o controle acirrado pode ser pior do que o bem dosado.

Queremos proteger os dentes de nossos filhos das cáries precoces, mantendo intacto o apetite por comidas nutritivas e os dentes afastados de doces. A gente não se sente tão mal quando deixa que devorem bolos feitos em casa ou doces naturais, mas quando se trata de amanteigados, sucos de frutas industrializados, produtos com excesso de conservantes, chicletes com ou sem açúcar e qualquer outra coisa colorida artificialmente, a consciência pesa bem mais.

Não importa sua filosofia quanto a alimentos saudáveis e menos saudáveis, cada vez mais se questiona sobre quanto, quando e que tipo de doce deve ser permitido e com que freqüência vai dizer "não" aos doces. A solução para isso provavelmente cai no velho ditado "Nada é bom em excesso.".

COMO CONSEGUIR MANTER O CONSUMO DE DOCES NO MÍNIMO:

1 A maneira mais simples de reduzir o consumo de doces é não tê-los em casa!

2 Observe seus próprios hábitos de consumir doces. As crianças fazem o que fazemos e não o que dizemos. Tenho um cliente que insiste que seu filho coma cereais naturais, mas ele mesmo é viciado nos coloridos e adoçados. Já avisei que está remando contra a maré. (Se a pessoa tem dois pesos e duas medidas, deve comer seus doces longe das crianças.)

3 Tenha um plano de alimentação claro (veja o Capítulo 10 – Exigências para comer). Três refeições por dia, dois lanches saudáveis no intervalo, com baixo teor de gordura, sal e açúcar e fáceis de preparar. A paixão por doces não chega a ser um problema de saúde se forem consumidos como complemento, mas, se consumidos no lugar de comidas nutritivas, pode ser muito prejudicial.

Chegue a um consenso com seu companheiro (assim não questionarão um ao outro) sobre a quantidade e a freqüência de comer doces que permitirão. Tentem encontrar um meio termo se ambos têm posições opostas sobre o assunto.

Pense com moderação. Não é necessário preparar sobremesa todas as noites. Em casa, diminuímos nossas sobremesas para duas vezes por semana, no jantar de sexta e no almoço de domingo. As crianças se adaptaram e até parecem curtir mais o banquete.

4 Deixe suas crianças estarem a par das normas de consumo de doces e não volte atrás. Uma vez que entendam e conheçam as regras, você poderá deixá-las à vontade nas festinhas, quando jantam fora ou uma visita traz doces para elas.

5 O comportamento e os hábitos de seu filho podem se desenvolver de acordo com suas regras sobre doces:

- O consumo de doces deve ser ligado a uma boa higiene bucal. Se seu filho escova os dentes direito e recebe ótimos elogios do dentista, você poderá ser um pouco mais flexível.
- Procure dicas do gosto de seu filho. Meus filhos, Miranda e Kyle, parecem satisfeitos (por um instante) por comer porcarias com moderação (diferentemente da mãe deles, que está tentando seguir o mesmo exemplo). Em festas, quando há doces, eles geralmente os pedem antes mesmo de qualquer outra coisa, mas um pedaço ou dois parece satisfazê-los.

  Para outra criança, uma tigela de doces é muita tentação. Quando a amiga de Miranda, Abby, aparece em casa, os doces desaparecem aos montes. Doces não são permitidos em sua casa. Será que a proibição criou uma paixão insaciável na menina? Possivelmente. Ou pode ser que Abby seria viciada em doces se vivesse em qualquer outra família. Se você tem um filho como Abby, ajude-o, mantendo longe os doces.
- Mantenha lanches saudáveis à vista e à mão. Uma travessa de tangerinas docinhas pode manter seu filho afastado da tentação das bolachas, ou então dê um Lembrete de que há cubos de queijo na geladeira que ajudam a matar a fome momentânea.
- Ajude no Halloween, dia das bruxas. Meu dentista diz que acabamos nos rendendo, pois essa é uma das ocasiões mais difíceis de fugir à tentação dos doces. Diga a seus filhos que podem comer todos os doces arrecadados que quiserem, mas que jogarão fora, na hora de dormir, tudo o que sobrar. As crianças geralmente dançam conforme a música desse plano. Comem tanto até ficarem enjoadas só de ver doces e, em

algum momento, acabam parando. Ficam bem seletivos na escolha, uma vez que sabem que não conseguirão comer tudo naquela noite. Quando estiverem na cama, jogue fora tudo o que sobrou, conforme o combinado. (Se achar esse plano muito severo, deixe que as crianças selecionem alguns doces para comerem de sobremesa no dia seguinte.) Parecerá estranho jogar fora doces perfeitamente bons (um desperdício? se preferir, dê para alguma criança pobre), mas, pelo resto do mês, não haverá sacos de açúcar melecados debaixo da cama delas, tentando-as dia após dia, até que o último pedacinho de doce seja consumido.

COMO DIZER "NÃO" E NÃO VOLTAR ATRÁS:

1 Se sua filha estiver pedindo um docinho e você decidir que a resposta deverá ser "Não!", dê a ela uma Ordem clara. Olhe em seus olhos, incline-se e, simplesmente, diga: *"Não, querida, está perto da hora de jantarmos!"*. Se parecer que aceitará sua Ordem, diga: *"Obrigada por entender!"*.

Por outro lado, tudo bem, também, dizer o que pode comer: *"Há cenouras, bananas e iogurte. Pode comer um pouco se quiser!"*.

Se a confusão ou as manhas começarem, pare de olhá-la nos olhos imediatamente. Se estiver com outras pessoas, vire-se calmamente e entre na conversa. Se estiver sozinha, saia da sala para fazer qualquer outra coisa.

2 Lembre-se, pode avisar que vai ignorá-la:

> *A resposta é não. Meus amigos e eu estamos conversando, portanto não escutarei suas reclamações.*

Volte a dar atenção a seus amigos. Ignore os choramingos até que cessem. Se parar, mas continuar ao seu lado, sorria e dê a ela um abraço ou, no meio de sua conversa, sussurre em seu ouvido: *"Obrigada!"*.

3 Se houver uma tremenda explosão de raiva ou se a criança cair no chão se debatendo e gritando, há três alternativas:

- A minha predileta: ignore completamente a explosão de raiva até que cesse. Conseguirá a vitória de Credibilidade de Controle Materno/ Paterno e realmente reduzirá a possibilidade de futuras explosões de raiva. Integre-se na conversa como se estivesse muito interessada.

Mantenha um sorriso no rosto e fale baixinho a seus amigos: *"Me ajudem com isso, ignorar não é o meu forte!"* ou então: *"Venham ver minhas plantas (desenhos, bordados ou qualquer outra coisa)!"*, e leve seus amigos para outro cômodo.

- Ofereça um Acordo Quando/Então:

  Quando falar comigo sem gritar, então a ouvirei.

  Volte a sua conversa e ignore até que ela se controle a ponto de "usar palavras" em vez de gritos.

- Dê uma Advertência de Conseqüência:

  Se continuar a gritar, a colocarei de Castigo.

  Claro que, se não parar em um curto período de tempo, deverá ser colocada de Castigo.

4 Elogie sua filha assim que ela parar de gritar ou aborrecer por causa do chiclete ou qualquer outra coisa, se começar a brincar, mudar de assunto ou tiver outro tipo de comportamento que lhe agrade.

Questões Familiares

Todos na família têm importância. Todo mundo tem seu devido valor. A parte mais difícil dessa igualdade de valores é que, freqüentemente, alguém da família não consegue o que quer quando quer. Uma dura lição para um garotinho, mas, com certeza, alguém precisa ensiná-lo antes que se torne um adolescente.

12
Palavrões

O PROBLEMA:

Seu filho fala palavrões, xinga, usa linguagem chula. Escolhe justamente as palavras que a levam ao constrangimento ou às lágrimas. Em casa, no mercado, na frente da avó, os palavrões começam e você fica furiosa... Não pode aceitar tanta falta de respeito de seu filho.

REFLEXÃO:

O linguajar é uma questão importante para a maioria dos pais. As crianças usam vários critérios para escolher suas palavras. Muitos pais, não importa se relaxados ou liberais, têm um limite quando se trata de uma linguagem que não tolerarão.

As crianças falam palavrões por inúmeras razões, mas acho que, na maioria dos casos, acaba sendo por três motivos básicos: chamar atenção, mostrar exasperação ou, em determinadas ocasiões, para serem malvados (como é o caso dos xingamentos, apesar de não saberem o significado do que estão dizendo). Essas questões são muito mais fáceis de resolver do que os hábitos apimentados do linguajar dos adolescentes, que temperam suas conversas com palavras grosseiras, pois é assim que seus amigos fazem, ou que usam palavrões diretamente contra seus pais.

Acho que as crianças falam palavrões porque os ouvem por aí (de membros da família ou de outras crianças), experimentam e descobrem que inspiram, com isso, uma forte reação nas pessoas. Assim como outros péssimos hábitos, ficam tentando conseguir uma reação forte e negativa dos pais.

Lidar com palavrões é um processo que tem duas partes: 1) chegar a um acordo com seu companheiro sobre qual linguagem será aceita e qual não será e 2) usar um plano para estabelecer limites e colocar um fim ao uso dos palavrões quando surgirem.

DETÊ-LOS NO MOMENTO CERTO:

1 Observe sua própria linguagem! As crianças fazem o que fazemos, não o que dizemos. Acredite, não há como escapar. Como eu mesma tenho problemas com Palavrões, comecei a introduzir a idéia de que falar palavrões é como ficar acordada até a meia-noite, dirigir um carro ou tomar bebidas alcoólicas, privilégios que fui adquirindo à medida que crescia, os quais meus filhos terão quando chegarem aos vinte e um anos ou quando saírem de casa, o que quer que aconteça primeiro. Pode haver outra maneira de evitar, mas ainda não consegui adquirir outros hábitos. Tive de recorrer à limpeza de meu próprio linguajar.

2 Deixe claro que algumas palavras são inaceitáveis. Explique que elas magoam, causam constrangimento, são desrespeitosas, profanas, vulgares, racistas, sexistas e, portanto, não serão toleradas.

3 Evite sair da linha logo no início, quando começam a usar palavras de "banheiro". Sua melhor defesa contra as crianças pequenas é ignorar. Com certeza elas já sabem a reação imediata que conseguem com um "cocô, xixi" e assim por diante. Nesse caso, poderá ser usado um simples Comunicado de que vai ignorar a criança:

> *Meus ouvidos não escutam palavras como essas. Eles simplesmente param de funcionar.*

Vire-se e pegue um jornal e ignore as demais palavras que podem vir a seguir antes que ela pare de vez.

4 Quando uma criança de idade escolar começar a falar palavrões em casa, podemos, a princípio, tentar ignorar. Sinceramente, é possível que, devido ao desprezo, os palavrões acabem. De fato, acredito que a combinação entre ignorar o uso de palavrões em casa e estabelecer limites em público é a maneira mais rápida de cessar esse comportamento. O motivo pelo qual ignorar funciona para crianças dos dois aos doze anos de idade é que boa parte do tempo elas estão querendo provocar uma reação negativa em nós. Se não reagirmos, terão menos motivo para xingar. Lembre-se de que, em geral, as crianças não falam palavrões sozinhas.

5 Permita algum tipo de linguagem para os momentos de frustração. Meu filho parou de falar palavrões, trocando-os por palavrões em alemão. Não tenho certeza de onde conseguiu a tradução, mas foi muito mais fácil de suportar.

Por certo tempo, minha família contava com palavras sem sentido, inspirada pelo livro *The BFG – Big Friendly Giant*, de Roald Dahl, um maravilhoso livro para toda a família. Ouvíamos por todos os cantos da casa: "Ô rebimboca!".

6 Elogie seu filho por usar palavras adequadas. Se, em um momento de frustração, escutá-lo usando palavras aceitáveis, agradeça-o. Se seu linguajar tinha sido particularmente ruim até esse momento, recompense o garoto com um pequeno prêmio.

7 Não leve os palavrões de seus filhos para o lado pessoal. O filho mais velho pode repetir um palavrão que ouviu de um amigo. Se você tiver uma reação exagerada, ele poderá aumentar ainda mais seu uso. Dê apenas um simples e calmo Lembrete: *"Greg, preferiria não ouvir esse tipo de coisa em casa!"*. Quem sabe você poderá escutar um "Tudo bem, mãe!".

8 Desarme-os: diga você mesma os palavrões. Vamos supor que seu filho derrube alguma coisa no pé e grite: *"Merda"*. Calmamente, responda: *"Que pena que machucou seu pé, querido, mas por favor não diga 'merda' quando eu estiver por perto!"*.

9 Use o Gráfico de Melhor Comportamento. Tenha um item como "Uso de bom linguajar com apenas um Lembrete" junto de diversos outros itens, dentro dos quais pelo menos três sejam fáceis de alcançar.

Dê a seu filho uma estrela quando usar somente boas palavras durante o dia (o Lembrete permite uma única escorregada no linguajar). Deixe o espaço em branco se ele não atingir a meta. Elogie o sucesso. Ignore os fracassos.

As estrelas poderão ser vinculadas a um prêmio que a criança poderá usufruir no fim de semana. Se cada estrela do dia valer um ponto, por exemplo, durante a semana, toda vez que ganhar seis pontos poderá pegar algo do Baú do Tesouro (veja o Glossário) ou fazer algo que você achar conveniente.

COMO DIZER "NÃO" E NÃO VOLTAR ATRÁS:

1 Se os palavrões continuarem, apesar de sua abordagem mais positiva ou menos rígida, sua única alternativa será o uso da Conseqüência. Será mais efetivo usar uma Advertência antes de dar uma Conseqüência; desse modo, seu filho saberá claramente o que o espera.

A Advertência serve como um lembrete. Seu filho sabe o que está por vir e tem uma grande oportunidade de se redimir. A Conseqüência é a perda de um privilégio:

- que tenha significado para seu filho;
- sobre o qual você tenha controle;
- que esteja disposta a aplicar;
- que seja o mínimo.

Algumas famílias acham que multar a criança em vinte e cinco centavos por palavrão é uma Conseqüência rápida e efetiva. Reduzir o tempo de assistir à TV ou de brincar também pode ser altamente efetivo. E não se esqueça... um Castigo funciona bem em público.

2 Nunca, mas nunca mesmo, lave a boca de seu filho com sabão. Ocasionalmente, escuto alguns pais falarem que funciona, mas raras vezes é uma Conseqüência "mínima".

13
"Mas Todo Mundo Pode"
(Passeando no Shopping e Outros Horrores)

O PROBLEMA:

Seu filho insiste em fazer algo que você não considera adequado (por ser perigoso ou por ele ser muito novo, por exemplo) e a queixa dele é: "Mas todos os meus amigos podem!". Quer andar de bicicleta em uma rua movimentada, ficar na rua até tarde da noite, ir ao cinema com um amigo ou sair do pátio da escola para ir a uma lanchonete.

Você só quer que seu filho esteja seguro e que respeite suas regras; não é necessário gostar delas, mas é preciso segui-las. Preferiria não entrar em confronto toda semana pelo mesmo assunto.

REFLEXÃO:

Todos os pais enfrentam um dilema: como proteger sem superproteger o filho, como conseguir o equilíbrio entre manter a criança a salvo e ao mesmo tempo mostrar a ela suas reais necessidades para aumentar sua independência e criar oportunidades para adquirir responsabilidades.

Para que um bebê aprenda a andar é preciso soltar suas mãos e correr o risco de deixá-lo cair. Não aprenderá a andar se insistirmos em segurá-lo o tempo todo. Da mesma maneira, uma criança de quatro anos precisa começar a explorar a vida além de seu quintal, uma de dez anos precisa explorar o bairro e uma de quatorze precisa explorar sua comunidade.

Esses nem sempre são ambientes seguros. Os pais devem usar o bom senso em determinadas oportunidades para dar a liberdade necessária. Seu filho quer sempre a opção menos restritiva e pode ter uma explosão de raiva por causa de seu "não", mas é preciso estabelecer regras que tragam paz e segurança. Quando essas regras forem estabelecidas, pode ser que seu filho não goste delas, mas (em algum lugar do subconsciente) saberá que você as estabeleceu apenas porque a segurança dele é sua maior prioridade e preocupação.

Tenha cuidado para não ser um pai "careta que só diz não". Toda vez que seu filho pedir uma oportunidade de independência, explore-a cuidadosamente. Avalie as preocupações que estão por trás de seu impulso de dizer "não". Pense em suas opções. Há um meio termo? Há uma maneira de dizer "sim" sem colocar seu filho em risco?

Do mesmo modo, se tende a ser um pai "liberal que só diz sim" (provavelmente por ser filho de pais "caretas que só diziam não") ou um pai que gostaria de dizer "não", mas evita confronto a todo e qualquer custo (ou que sente que não tem controle sobre o filho, que de qualquer jeito fará o que bem entender), tenha em mente que sua responsabilidade como pai é manter a segurança de seu filho. O mundo de hoje é muito mais do que perigoso e seus limites são essenciais para proteger sua família; e, embora as crianças não admitam, elas ficam bastante aliviadas quando estabelecemos limites.

Lembre-se sempre de que sua tarefa como pai é proporcionar o aumento de independência de seu filho a fim de que, lá na frente, ele se sinta preparado para sair de casa para cursar uma universidade ou seguir uma carreira. Há um longo caminho a percorrer e seu papel é proporcionar oportunidades para passos pequenos e seguros.

COMO CONSEGUIR QUE SEU FILHO RESPEITE AS REGRAS (quando outras crianças não as têm!):

1 Quando seu filho fizer um pedido, por exemplo passear no shopping com um grupo de amigos, pergunte o que ele acha da idéia. Às vezes as crianças pedem para fazer alguma coisa porque outras as incentivam, dizendo: *"Vá pedir para sua mãe!"*. Poderá descobrir que ele mesmo não está muito feliz com o plano e ficará aliviado em ouvir um "não".

2 Se ele claramente quer um privilégio e você está hesitante, converse com sua esposa. Se não tiver idéia do que é apropriado e seguro nos dias de hoje, cheque com os pais dos amigos de seu filho ou observe as crianças mais velhas da vizinhança para ver como administrariam a situação.

Considere algumas opções de que seu filho gostaria e que são seguras. No caso do shopping, o pai pode acompanhar o filho, mas compraria ou olharia as vitrines longe do filho e dos amigos dele. Talvez as crianças pudessem assistir a um filme ou usar suas mesadas no fliperama por uma hora, com todos os relógios sincronizados e reencontro marcado em horário e local predeterminados.

Decida com sua esposa se a resposta deve ser "sim" ou "não" de acordo com essas condições.

3 Apresente a decisão a seu filho. Se ele aceitá-la, elogie-o.

"Agradeço por entender e aceitar minha decisão!". (Se ele não aceitar, leia a seguir.)

4 Deixe-o saber sob quais condições poderá ter um privilégio, por exemplo:

Seu pai e eu estamos dispostos a deixá-lo ir ao cinema com os garotos, enquanto dou umas voltas no shopping. Quando a sessão acabar me encontrarei com você. Sei que não é exatamente assim que queria, mais já é um começo.

Se quiser ir com o irmão mais velho de Jason tudo bem, porque ele tem dezoito anos e é muito responsável.

5 Se esforce para ser justo e consistente, pese cada decisão separadamente e leve em consideração o amadurecimento de seu filho. Pense assim: "pequenos passos até alcançar maiores responsabilidades". Crianças de seis anos podem sentar sozinhas em um restaurante. Com oito anos, podem ficar bem em uma *pet shop,* enquanto você está na loja ao lado. Aos dez anos podem ficar seguras (dependendo de onde mora, é claro) em uma loja de livros ou jogos por meia hora ou mais. Aos doze anos podem perfeitamente ir ao cinema com os amigos... contanto que os pais possam levá-los e buscá-los.

Se seu filho percebe que ao crescer ganha mais privilégios, terá noção de "tudo dentro de seu devido tempo" e saberá que vai ter mais e mais liberdade no futuro.

Se no processo de afrouxamento do reinado dos pais seu filho não administrar bem os novos privilégios (não estiver no local combinado na hora certa, for detido pelos seguranças por mau comportamento etc.), então deverá perder os privilégios por determinado período, vamos dizer por dois meses. Isso não será extremamente punitivo, mas adiará o privilégio até que amadureça um pouco mais. Assim, com expectativas e Conseqüências muito claras, ele poderá tentar de novo.

COMO DIZER "NÃO" E NÃO VOLTAR ATRÁS:

1 Não é possível evitar as frustrações e os desapontamentos de seu filho quando diz "não", mas você pode dar a notícia ruim com empatia (consulte Espelho no Glossário). Sente-se com ele e diga sua conclusão. Tente se colocar no lugar dele, deixe-o saber que entende seus sentimentos:

> *Pensei muito sobre você querer ir passear no shopping com seus amiguinhos e decidi que não é muito seguro. Desculpe. Sei que alguns de seus amigos têm permissão e você realmente gostaria de ir com eles. Provavelmente ache que estou sendo superprotetor ou que não confio em você.*

Evite sermões. Seja breve ao apresentar seus conceitos e não ataque seu filho, que já conhece seus argumentos e não vai querer ouvir cada detalhe. Estará com raiva ou magoado para pesar a informação, que deve ser digerida aos poucos.

Mais tarde, no mesmo dia ou durante a semana, você poderá conversar sobre isso, se quiser, mas, no exato momento em que diz o "não", ele não estará especialmente receptivo para suas explicações.

2 Se ele argumentar ou retrucar sua decisão, repita sua mensagem usando a Técnica do Disco Riscado:

Você: Assunto encerrado. (pegue o jornal e comece a ler)
Filho: (gritando) Está sendo injusto! Por que não posso ir?
Você: Assunto encerrado.
Filho: Por que não posso? Don pode! Max pode! Até Tim pode!
Você: (não argumente) Assunto encerrado.
Filho: Ligue para os pais deles! Eles vão dizer que é seguro. Há muitos adultos lá. O que você acha... que alguém vai atirar em mim no shopping?

Você: Assunto encerrado.

Filho: Só isso que sabe dizer! (imitando) Assunto encerrado. Assunto encerrado.

Você: (vire e página do jornal e continue a ler)

3 Se começar a gritar ou xingar, diga a ele que vai ignorar:

Não vou responder a reclamações, gritos ou aborrecimentos. Se tem alguma informação que queira que eu considere, escreva em um papel. Em uma hora vou olhá-la. Por enquanto o assunto está encerrado.

4 Se ele tiver uma explosão de raiva, continue a ignorar. Isso exigirá muita paciência de sua parte. Pode ser que tenha de sair da sala. Se tiver mesmo, saia calmamente, assim não parecerá que é por causa dele. Seu comportamento deve indicar que simplesmente tem outra coisa para fazer. Pegue o jornal (ótimo para ignorar), use o banheiro (afinal, é um ser humano), cheque se deixou aberto o bico do fogão (é cheiro de gás que estou sentindo), responda a uma ligação (para alguém que não se importa com o barulho ao fundo).

5 Se sair do controle, dê a ele uma Advertência de Conseqüência:

Assunto encerrado. Se continuar a gritar e bater portas, ficará de castigo por toda a noite.

6 Se ele sair com os amigos, desobedecendo a suas ordens, será preciso aplicar a Conseqüência, que deverá ser a perda de um privilégio que seja importante para ele e sobre o qual você tenha controle. Deverá ser aplicada imediatamente, por um curto período para os mais novos, e mais longo para os mais velhos. No nosso exemplo, a Conseqüência poderia ser ficar sem sair para brincar pelo resto do dia, em um dia como sábado, ou restringir de brincar com seus "parceiros no crime" durante o fim de semana.

7 Se seu filho insistir em quebrar regras importantes que foram estabelecidas para seu próprio bem, pense na hipótese de consultar um terapeuta especializado em treinamento comportamental de pais.

14
O Que Coloca os Pais em Maus Lençóis
(Dormir fora de casa, ir a pé sozinho para a escola, filmes com cenas de sexo e violência, serviço de babá e outras coisas)

O PROBLEMA:

Seu filho pede permissão para fazer algo que não a deixa à vontade, como ir a uma festa e dormir lá com um grupo de amigos, cujas famílias você não conhece, ira a pé sozinho para a escola (e atravessar ruas movimentadas), ir ao cinema e assistir a um filme que você considera adulto demais (assustador, triste ou com cenas de sexo e violência) ou ficar sozinho à noite. Você gostaria que seu filho entendesse e fosse capaz de aceitar seu "não", mesmo que baseie sua decisão mais no instinto do que na razão.

Diferente dos pedidos descritos no Capítulo 13 – "Mas todo mundo pode!", esses são menos claros para você. A tendência é dizer "sim", exceto por certa hesitação, algo que parece vir mais do coração do que da razão, e você se pergunta se não está sendo cauteloso demais sem necessidade.

REFLEXÃO:

Às vezes não temos razões claras ou concisas para negar um pedido de nossos filhos, apenas sentimos certo desconforto em relação a algo que querem fazer. Nossas razões, um tanto confusas, parecem tolas quando tentamos articulá-las.

Alguns pais não confiam em seus impulsos porque foram educados por pais que cederam demais ou que foram extremamente severos. Talvez temessem repetir o mesmo modelo de seus pais ou temessem se rebelarem tão ferozmente que errariam em outra direção.

Se você tem dúvidas sobre um pedido e de sua reação às perguntas de seu filho, busque o conhecimento de pais em quem confia ou do professor de seu filho.

Certamente, você e sua companheira não querem impor limites arbitrariamente e seu filho tenderá a aceitar sua decisão se puder entender os motivos; então, faça um esforço para expor suas preocupações. Se, no final, tudo se resume a isso: *"Eu não me sinto bem com essa idéia!"*, use o plano a seguir para dialogar com seu filho.

AJUDANDO SEU FILHO A ENTENDER E A ACEITAR SEU "NÃO":

1 Enquanto seu filho cresce, se esforce para que seu relacionamento com ele seja aberto e honesto. Tente dar explicações plausíveis para as regras que impõe, de maneira consistente, para que sejam seguidas e aplicadas igualmente com todos os filhos, levando em consideração seus temperamentos individuais quando a segurança for um fator de preocupação.

2 Quando seu filho pedir sua permissão, ouça toda a história e deixe claro o que ele está pedindo. Descubra quais são seus verdadeiros sentimentos em relação ao assunto. Às vezes, os filhos pedem permissão antes mesmo de terem decidido se querem ou não fazer tal coisa. Talvez estejam esperando que você diga "não" e resolva o dilema por eles.

3 Dê a você mesmo algum tempo para pensar, dizendo: *"Gostaria de pensar sobre seu pedido! Vamos conversar daqui a uma hora!"*. (Ou no dia seguinte, se seu filho conseguir esperar tanto!) Tudo bem... leve o tempo que for preciso. Se ele se recusar a aceitar, você deve dizer: *"Estou inclinado a dizer 'não', mas se você me der algum tempo para pensar sobre o assunto, há uma chance de mudar de idéia!"*.

4 Aproveite esse tempo para separar sua reação emocional (quase involuntária) dos problemas reais com a segurança. Identifique suas preocupações, tente descobrir o que realmente faz com que não se sinta bem em relação ao pedido de seu filho.

5 Se seu filho estiver pedindo algo que a maioria dos amigos tem, talvez seja a hora de buscar o conselho de outros pais, para checar se você está sendo cauteloso sem necessidade. Naturalmente, você pode seguir ou não o exemplo deles. Alguns pais que não se preocupam com esse tipo de problema e dão tão pouca supervisão tendem a mimar ou a ceder com muita freqüência à insistência dos filhos. No final, o bom mesmo é confiar em sua intuição.

6 Como está se sentindo um pouco indeciso, seria interessante considerar as explicações e os apelos de seu filho, se forem feitos de maneira calma e gentil. Há sempre a possibilidade de acrescentarem alguma informação ou sugerirem outras combinações que farão diferença em sua decisão. Por exemplo, você deve permitir que ele:

- Fique sozinho, se for possível pedir a um vizinho que esteja em casa para dar um auxílio em caso de emergência.
- Assista a um filme para maiores de 13 anos com cenas de sexo e violência, se você assistir antes e achar que é apropriado.
- Vá a pé para a escola primária, se for junto com um adolescente de aproximadamente14 anos que estude no mesmo colégio.
- Passe a noite na casa de alguém, se arranjar com antecedência um encontro entre você, o amigo e os pais dele.

COMO DIZER "NÃO" E NÃO VOLTAR ATRÁS:

1 Se chegar à conclusão de que não gosta do pedido dele, faça o comunicado da melhor maneira que puder. Por exemplo, diga a ele que sua principal preocupação é com a segurança e nisso se baseia sua decisão. Deixe-o saber com qual idade e sob quais circunstâncias será possível conceder o que ele deseja.

2 Talvez seu filho continue insistindo ou tente argumentar, explicar ou fazer um acordo com você. Ele tem o direito de discordar, mas você tem o direito de tomar a decisão final e discutir sobre o assunto até o fim.

3 Se, nesse momento, ele continuar insistindo, use a Técnica do Disco Riscado. Simplesmente repita a frase: "*Já tomei a minha decisão e esta discussão está acabada!*" até que ele entenda.

4 Ignore todas as explosões de raiva, batidas de pé no chão, batidas de porta, reviradas de olhos, resmungos, xingamentos ou algo mais que faça para expressar sua raiva. Ele não precisa gostar da decisão, basta obedecê-la.

5 Na hora de dormir, ou em outro momento calmo, talvez seja possível conversar sobre isso novamente e ajudá-lo a ficar em paz. Dê um exemplo de sua infância, se conseguir se lembrar de algum, quando seus pais tomaram uma decisão que mais tarde você entendeu que era a melhor.

6 Se ele escapar e fizer aquilo que você determinou como "NÃO", você necessitará trabalhar com a Conseqüência. Seu filho precisa respeitar suas regras, não importando como ele se sinta e o quanto seu coração de pai doa por isso.

15
Roupas Erradas

O PROBLEMA:

Sua filha exige se vestir de uma maneira que você considera inadequada. Ela quer:

– vestir roupa social em uma ocasião informal;

– vestir roupas de brincar em ocasiões sociais;

– usar tênis em uma festa;

– usar sapatos de festa para brincar em um tanque de areia do parquinho;

– vestir jeans rasgado em qualquer lugar;

– sair sem jaqueta no frio;

– andar sem sapato no molhado.

Você gostaria que sua filha vestisse o que você escolheu para a ocasião ou uma alternativa sensata.

REFLEXÃO:

Há poucas áreas em que as crianças têm o controle. Talvez não sejam capazes de controlar o mundo ao seu redor, mas têm algum poder quando se trata de seus próprios corpos. É natural que as crianças briguem com seus pais sobre o que comer, o estilo do cabelo e a escolha das roupas (como prova disso está a anorexia entre as adolescentes e sua maneira criativa, e escandalosa, de usar os cabelos e escolher roupas). Dar flexibilidade para que os filhos escolham suas roupas é uma maneira relativamente inofensiva de dar a eles um pouco de poder em um mundo em que quase não têm nenhum.

Escolher roupas geralmente reflete valores ou padrões familiares. Alguns pais se sentem bem permitindo que seus filhos escolham as roupas que usarão para brincar, tendo em mente que a escola ou a igreja exigem roupas mais conservadoras ("respeitosas") do que aquelas que seus filhos podem vir a escolher. Outros determinam escolhas para seus filhos dentro de alguns limites (as roupas devem combinar, precisam estar limpas, arrumadas e sem rasgos etc.). Alguns se sentem à vontade para dar uma liberdade controlada quanto às questões da roupa.

Um assunto a considerar é o nível de constrangimento. Talvez vocês sintam que não serão considerados bons pais se a roupa de sua filha não se encaixar em certos padrões. É preciso se perguntar se está dando mais importância do que deveria à roupa de sua filha por estar preocupada em como isso a afeta. Um professor amigo meu disse que a preocupação de algumas crianças em parecer bem na escola faz com que carreguem no visual, se vistam com exagero e se separem de seus colegas de classe.

Quando as crianças crescem, seus amigos e colegas influenciam em suas escolhas para o bem ou para o mal. O que é uma roupa absolutamente essencial para sua filha talvez esteja fora de questão para você! Na adolescência, talvez seja preciso ceder e se ater a nada além de um pequeno conselho e somente quando for pedido. Com os filhos abaixo de doze anos, é possível prevalecer na batalha pelas roupas.

Depois disso tudo, no entanto, cada família tem seu momento de estabelecer um padrão a ser seguido pela filha. De vez em quando, haverá algum evento – uma festa ou apenas um mau tempo – em que você e ela entrarão em conflito.

COMO FAZER COM QUE SUA FILHA SE VISTA DE MANEIRA APROPRIADA:

1 Estabeleça algumas regras para sua filha se vestir, por exemplo: as roupas devem estar limpas e apropriadas ao tempo e, em certas ocasiões, roupas especiais serão necessárias. Além dessas regras, deixe o máximo que puder por conta dela.

Pense sobre isso e fique calma. Você realmente se importa com o que sua filha de nove anos escolhe para ir a uma festinha do pijama ou com o que seu filho de onze anos veste para ir à lanchonete? O que acha da roupa que seu filho de três anos vestiu para ir ao parquinho? E seu filho de seis anos... escolheu a roupa apropriada para dormir na casa do amiguinho dele? Apenas se mantenha firme quanto à limpeza e à decência.

2 Tente conseguir cooperação antes que você perca a cabeça. Use Comunicados, Escolhas e o Acordo Quando/Então.

Um Comunicado, com uns dias de antecedência, dá a sua filha algum tempo para aceitar sua decisão:

No domingo, iremos à casa de sua avó. Gostaria que você usasse o vestido que ela lhe deu.

Uma Escolha dá a sua filha um pouco de flexibilidade, mas tem uma mensagem secreta por trás disso: "você precisa escolher um ou outro".

Para o aniversário de sua avó você deve usar o macacão verde que ela lhe deu ou o vestido azul de festa. Qual deles você escolhe?

Um Acordo Quando/Então ou Se/Então oferece um incentivo (um privilégio) por cooperar com você:

Se você concordar em vestir o vestido que sua vovó lhe deu, eu comprarei uma fita nova que combine com o vestido para você colocar no cabelo.

3 Para os pré-adolescentes, tente a abordagem "O que você planeja fazer?". Quando perguntar a sua filha sobre o plano dela, mencione os assuntos que a preocupam e aquilo que gostaria que fosse levado em consideração.

Quero que você esteja bem bonita na festa de aniversário de sua tia no sábado. O que você está pensando em vestir?

Perguntar em vez de obrigar passa a idéia de que você confia que a escolha será adequada. Talvez ela apareça com uma ótima sugestão ou peça para você escolher a roupa.

COMO DIZER "NÃO" E NÃO VOLTAR ATRÁS:

1 Pense um pouco antes de dizer seu primeiro "não". Se sua decisão for racional, baseada em boas razões, e você estiver segura disso, então mantenha sua decisão. Não é preciso explicar demais nem aturar todos os tipos de reclamações. Como eu disse antes, você não estará ajudando sua filha se desistir por causa de uma explosão de raiva. Isso somente ensina que com esse tipo de atitude ela terá tudo o que deseja.

2 Certifique-se de que sua filha sabe por que você tomou tal decisão. Escolha umas duas frases para esclarecer:

Esse sapato é novo. Você deve guardá-lo para ocasiões especiais.

Seus tênis estão sujos; estão bom para o parquinho, não para ir à igreja.

Quero que você esteja bem vestida para visitar a vovó. Isso mostra nosso respeito por ela.

Para brincar você pode se vestir como gosta, mas para a escola eu espero que suas roupas combinem.

Está chovendo. Você acabou de se recuperar de um resfriado. Eu quero que vista um agasalho ou uma jaqueta.

3 Reconheça os desejos de sua filha usando a técnica do Espelho, mas deixe claro que você tomou a decisão final:

Sei que você quer usar seus sapatos sociais. Eles são muito bonitos e sei que quer mostrá-los a suas amigas, mas já estarão estragados na hora do recreio. Então, quando quiser usá-los em uma festa, já estarão velhos. Use seus tênis, por favor.

Entendo que você realmente queira vestir suas roupas de brincar para ir à casa da vovó. Mas é o aniversário dela e nós todos estaremos vestidos para uma festa.

4 Se ela apresentar (de maneira relativamente calma) uma boa razão para que você mude de opinião, leve isso em consideração. Todos corremos o risco de tomar decisões apressadas e com freqüência nos beneficiamos de novas informações. Se ela apresentar um bom motivo para usar os sapatos novos para ir à aula e der a idéia de levar os tênis em uma sacola para usar na hora do recreio, você não deve se incomodar tanto.

Do mesmo modo, considere a possibilidade de levar roupas para brincar na casa da avó e trocá-las mais tarde.

5 Para combater a argumentação, use a Técnica do Disco Riscado: siga repetindo sua mensagem. Exemplo:

Mãe: Quero que você use os tênis para ir à escola.

Filha: Eles são feios.

Mãe: Use os tênis para ir à escola.

Filha: Serei cuidadosa. Juro que serei. Não vou estragar os sapatos.

Mãe: Use os tênis.

Filha: Você é injusta.

Mãe: Use os tênis.

Filha: Você não vai parar de falar isso?

Mãe: Use os tênis para ir à escola.

Filha: Ok. Eu (imita você) irei de tênis para a escola.

Mãe: Obrigada.

6 Permaneça firme em sua decisão. Não permita que sua filha saia de casa com os sapatos novos, os tênis sujos, sem jaqueta ou com "roupas erradas". Evite qualquer batalha física. Em vez disso, dê uma Advertência de Conseqüência.

Se você não tirar seus sapatos de festa, não vai brincar no parquinho.

Se você não colocar suas botas, não vai brincar lá fora.

Se você não tirar esse jeans rasgado e colocar uma calça, não irá ao cinema conosco.

Se você não vestir um de seus dois melhores vestidos no jantar de aniversário de sua avó, não dormirá na casa da Kelly amanhã.

Garanta que a Conseqüência seja aplicada caso ela se recuse a cooperar.

7 E, claro, ignore suspiros, reviradas de olhos, resmungos, xingamentos ou respostas rudes. Calmamente, vire-se e volte seu foco para alguma outra coisa. Se ela parar de bater o pé e decidir trocar por uma roupa apropriada, diga um simples "*Obrigada!*".

8 Sempre elogie quando ela concordar com a roupa que você escolheu: "*Aprecio sua cooperação!*".

16
Animais de Estimação
(Quando Não Se Pode Ter Um)

O PROBLEMA:

Seu filho não pára de pedir um animal de estimação. Você mal consegue cuidar de seu filho, de seu trabalho e de sua vida, e nem pensaria em ter algo que faça bagunça, uive, suplique, chore, tenha pulgas, sujeira, pêlo e algum dia provavelmente precisará de um funeral.

REFLEXÃO:

Esta é uma decisão difícil. Animais de estimação são maravilhosos para as crianças, ensinam a cuidar dos outros, a pensar sobre as necessidades dos outros, a assumir responsabilidades e a lidar com obrigações. Animais proporcionam companheirismo, brincadeiras e satisfação. E, enquanto alguns animais são grandes e exigem muita dedicação, outros são pequenos e raramente são uma sobrecarga.

Mas nem todas as pessoas têm um estilo de vida que permita animais de estimação. Talvez você não tenha quintal ou o dono do imóvel em que você mora não permita animais. Um membro da família ou um colega de quarto pode ser alérgico a animais, sua família pode ficar fora de casa a maior parte do dia ou viajar freqüentemente e você teria sérias dúvidas se o animal seria feliz ou bem-cuidado. Na verdade, é provável que você não tenha tempo nem energia para tomar conta de mais um ser vivo. (Se as plantas estão murchando, como um animal sobreviverá?)

Se você tem essas e outras boas razões para não ter um animal de estimação, acho que você está lendo isto porque quer – ou precisa – dizer um "não" e está bem perto de fazer isso. Você não poderá evitar o desapontamento de seu filho, mas vai poder ajudá-lo a aceitar seus desapontamentos sendo compreensiva.

COMO DIZER "NÃO" PARA A COMPRA DE UM ANIMAL DE ESTIMAÇÃO DA MANEIRA O MENOS DOLOROSA POSSÍVEL:

1 Se ainda não disse "não" e há a possibilidade de reconsiderar (desculpe, mas sou mãe solteira de duas crianças, um cachorro, um gato, e algumas plantas!) – vá com calma e reflita com o coração. Diga a seu filho: *"Terei de pensar sobre isso!"*, e pense.

Durante o processo de consideração, não deixe que seu filho a atormente a ponto de receber um "sim" prematuro. Isso não é bom para nenhum dos dois. Você perde sua credibilidade e a insistência será sua principal arma de negociação. Dê uma resposta a seu filho e mantenha essa decisão a menos que as circunstâncias mudem. Perturbações, insistências e manhas nunca devem levar ao consentimento de algo que você de fato não queira.

2 Considere ter uma Reunião de Família para discutir os prós e os contras de ter um animal de estimação. Entretanto, em uma Reunião de Família, você estará em desvantagem. Seus filhos prometerão o mundo: "A gente dá comida, banho, leva para passear, limpa a casinha e recolhe as fezes dele.". E o pior é que no momento estarão dizendo a verdade, pois têm toda a intenção de fazê-lo e se imaginam felizes vivendo apenas para o novo amigo. Cuidado: talvez você seja influenciada pelas promessas deles. Então, em sua lista de vantagens, coloque: *"Eu não tenho de lembrar vocês de alimentarem o animal etc.!"*.

Um possível resultado da Reunião de Família é trocar o tipo de animal de estimação. Eles queriam um cachorro e você concordará com um pequeno roedor dentro da gaiola. Entretanto, eu a previno contra qualquer animalzinho... principalmente aqueles que exigem comida exótica ou alimento vivo. Seus filhos, sem dúvida, descobrirão que precisam de comida para satisfazer a Muvuca, sua cobra de estimação, que só come minúsculos ratos brancos de uma fazenda a 50 km, no domingo à noite (essa é uma história verídica). E, não importam as boas intenções de seus filhos, só você sabe dirigir, certo?

3 Use este formato para a Reunião de Família:

- Determine o problema: *"Vocês, crianças, querem um animal de estimação. Nós, adultos, não queremos!"*.
- Identifique as questões por trás do problema.

  Preocupações dos pais:

  A bagunça, as cobranças, as pulgas.

  Preocupações das crianças:

  A diversão, a amizade e como será legal.
- Primeiras soluções (escreva-as abaixo):
  - nenhum animal de estimação.
  - animais menores e sem pêlo.
  - ter uma ameba unicelular de estimação.
  - tubo ou prato de auto-alimentação.
  - manter o animal fora de casa.
  - visitas mais freqüentes à casa de um parente que tenha animal de estimação.
  - pegar emprestado um animal no final de semana para fazer uma tentativa.
  - as crianças podem tomar conta dos animais dos vizinhos durante as férias deles para ver como lidam com a responsabilidade.
  - visitas regulares ao *pet shop* e ao zoológico.
- Escolha uma solução que você e seu filho estão dispostos a tentar.
- Concorde quanto às condições (Isso é difícil. O que você faz se não funcionar? Desiste? Negocia com a loja para que eles peguem o filhote de volta?)
- Faça uma outra reunião para avaliar o sucesso da opção escolhida. Adapte as regras, se necessário.

COMO DIZER "NÃO" E NÃO VOLTAR ATRÁS:

1 MAS EU DECIDI QUE NÃO POSSO TER UM ANIMAL DE ESTIMAÇÃO!!! E ESTE É UM LIVRO PARA APRENDERMOS A DIZER "NÃO", NÃO É? Sim, você deve dizer "não" (como eu fiz duas vezes no verão passado para dois gatinhos abandonados). Sua família não é uma democracia, é uma monarquia benevolente. Sente-se com seu filho e diga: *"Eu pensei cuidadosamente sobre ter um animal de estimação e sinto muito em dizer 'não' agora!"*.

É bom ser solidária com seu filho. Você pode aprender a ser um boa consoladora usando a nossa já conhecida técnica de retorno, a Técnica do Espelho. Para a criança, essa pode não ser a melhor solução, mas pelo menos ela se expressará e será ouvida. Ser ouvido e compreendido é muito importante para todos nós.

Tal conversa entre um pai e uma filha pode ser mais ou menos assim:

Meg: Eu quero muuiiiiito um gatinho.

Pai: Parece que você quer mesmo um gatinho.

Meg: Eu quero. Eu realmente quero muito um. Por favor, papai!

Pai: Eu sei o quanto você quer um gatinho. E eu queria ter um, mas nós não podemos.

Meg: Papai, por favooorrr.

Pai: Você está muito desapontada, não está?

Meg: Sim. (começa a chorar)

Pai: Eu sei o quanto você está triste. Eu gostaria de dar um, mas não posso. (o choro continua)

Pai: Você gostaria que eu pudesse resolver isso, também.

Meg: (balança a cabeça negativamente) Não é justo. Todo mundo tem um animal de estimação.

Pai: Eu aposto que parece que todo mundo no mundo inteiro tem um animal de estimação, menos você.

Meg: (soluçando) Todos os meus amigos têm.

Pai: Todos os seus amigos... Bem, querida, eu realmente espero ser capaz de ter um animal de estimação algum dia, mas agora não é o momento certo.

Meg: Mas quando nós poderemos, Papai?

Pai: Eu não sei. Daqui a um bom tempo, eu acho.

Embora esse pai realmente queira "resolver", ele não pode. Ele faz uma boa escolha: em vez de tentar amenizar a dor com argumentação ou conselho – nenhum dos dois será reconfortante – ele é verdadeiro. Não nega os sentimentos nem tenta alegrar a criança antes que ela esteja pronta, simplesmente aceita o desapontamento da filha.

A Técnica do Espelho pode não parar a discussão sobre um animal de estimação e talvez você tenha de mostrar solidariedade mais uma ou duas vezes. Apenas ouça novamente e permita que seu filho saiba que você entende os sentimentos dele.

2 Se os desapontamentos de seu filho não forem facilmente aliviados, tente estas outras maneiras maravilhosas para ajudar um pouco:

- Mantenha um diário. Dê a se filho mais velho um diário ou um livro em branco e sugira que ele escreva seus sentimentos nele. Com uma criança que não sabe ler ou não consegue escrever tão rápido quanto seus pensamentos, faça o papel do "lápis". Diga a seu filho: *"Eu sou o lápis. Você me fala as palavras e eu as escreverei. Eu não direi nada, não discordarei, não ficarei brava nem darei risada!"*. Seu filho trará na memória o diário dele, encontrando nisso um bom ouvido para os problemas. Você o verá relendo ou até mesmo dividindo com seus amigos.
- Faça um "livro" de sentimentos. Para as crianças pequenas, faça um livro de figuras com algumas páginas. Para um livro: "Eu quero um gatinho", desenhe uma criança com um rosto triste e desenhe um gatinho. Então, faça um desenho de você e de seu filho ou quaisquer desenhos que ele queira (mesmo uma criança pré-escolar pode fazer seus próprios desenhos). Agora, peça a ele para contar a história.

Escreva as palavras embaixo dos desenhos. Grampeie as páginas. Faça outros livros quando seu filho tiver dores físicas ou emocionais, antecipe mudanças na vida dele ou necessidades para amenizar os grandes traumas de separação, divórcio ou morte de alguém amado (ou animal de estimação).

3 Se houver uma insistência ou um aborrecimento maior, é preciso ignorar. Lembre-se de dizer que você vai ignorar: *"Olhe, querido, eu sei que você quer um animal de estimação, mas, como eu já disse, nós não podemos ter um agora. Eu não ouvirei mais nenhuma reclamação!"*.

4 Se houver mais um escândalo, simplesmente ignore ou repita: *"A resposta é "não"!* ou *"A resposta ainda é "não"!*. Mantenha a calma, se concentre lendo uma revista e ignore até que seu filho pare com os escândalos. Como sempre, quando cessarem os escândalos e ele tiver um comportamento que você aprecie, dê a ele alguma atenção de maneira positiva.

> *"Obrigada por entender que nós não podemos ter um animal de estimação agora!"*

5 Não ceda, eu repito, não ceda por causa de insistências, ameaças, gritos, batidas dos pés no chão, discussões ou outros aborrecimentos. A pior coisa que você poderia fazer depois de ter tomado sua decisão é voltar atrás. Diga a si mesma: *"Eu tenho o direito de dizer 'não'!"*.

17
Música, Música, Música

O PROBLEMA:

Seu filho ainda não é um adolescente, mas a música está chamando. Vem do rádio, da caixa acústica, do gravador ou do CD e vem mais alta do que você pode suportar. Você quer paz e tranqüilidade, principalmente tranqüilidade.

REFLEXÃO:

Você já foi criança e ouvia música. Lembra? Ouvia alto demais e deixou seus pais loucos. O mundo dá voltas. Talvez baste comprar protetores de ouvido, acenar uma bandeira branca e se retirar para o quarto.

Seus filhos pequenos também gostam de música, mas para os filhos pré-adolescentes ela se torna o sangue da vida. A música reúne as crianças, dá um quadro comum de referência, fornece a substância para a vida social deles e os ajuda a estabelecer uma identidade à parte de seus pais. Apesar da importância de tudo isso, as crianças não morrerão se seus pais estabelecerem um limite ou dois entre o uso e o abuso.

Não quero falar necessariamente sobre o conteúdo da música porque acho que censura é uma decisão muito pessoal. Eu mesma não me importava com as letras, talvez porque não conseguisse entendê-las de maneira alguma. (Nossa! Pareço minha mãe falando!) No que diz respeito a imagens, não permito canais de TV musicais na minha casa por causa do predomínio de imagens de sexo e violência (a menos que eu assista com eles e forneça uma clara narração editorial).

Conteúdo à parte, o assunto agora é o barulho e a invasão na privacidade dos outros. Assim como o uso do telefone, o objetivo é balancear os interesses de todas as pessoas que moram na casa. As crianças querem e precisam de música? Sim, querem e precisam. Você tem direito a um nível razoável de decibéis? Sim, você tem.

VIDA DOMÉSTICA SEM RÁDIO? Não Exatamente:

1 Inicie um contra-ataque quando seus filhos ainda são pequenos, apresentando a eles sua música favorita. Eu sou uma velha fã da banda de soul Motown. Por anos fui capaz de ditar as regras no carro e na cozinha. Meus filhos ficaram fãs também e agora nós chegamos a um acordo. Isso não vai durar para sempre, mas ganhei uns dois anos.

2 Sirva de modelo respeitando os direitos sonoros dos outros, assim seus filhos aprenderão com você. Se a TV estiver muito alta, diminua o volume. Se o rádio na cozinha estiver alto demais, diminua o volume. Se a música dos adultos estiver alta demais para as crianças, diminua. Se qualquer barulho estiver alto demais para os vizinhos, diminua. Não precisa necessariamente desligar. É um pedido razoável e merece uma resposta razoável.

3 Permita que seus filhos tenham um tempo livre para a música, quando poderão tocar tão alto quanto os alto-falantes ou o coração deles suportarem. Pegue um ótimo livro, alguns protetores de ouvido e se acomode no canto mais afastado de sua casa. Se eles tiverem algum tempo livre para a música, serão capazes de lidar com um tempo livre sem música. De qualquer maneira, você pode até mesmo estabelecer: *"OK, pessoal, se vocês quiserem dançar na sala e tocar sua música, será o máximo. Mas, depois das oito da noite, estarei aqui fazendo um trabalho e precisarei de tranqüilidade!"*.

4 Para a proteção auditiva, invista em um par de fones de ouvido. Um par para cada criança será mais sensato. Se o volume ou o tipo de música for demais para você, diga: *"Hora dos fones de ouvido, pessoal!"*. Você pode precisar monitorar um pouco o volume para proteger os tímpanos. Descubra qual é o melhor nível ouvindo você mesma (assuma que seus ouvidos sofreram os danos desde cedo e seja moderada) e marque no indicador qual é o limite do volume. Ocasionalmente, confira para ver se seus filhos estão mantendo o volume na zona de segurança.

5 No carro, acho justo o motorista ter a palavra final sobre o volume e o tipo de música no rádio. Dirigir exige concentração e alguns de nós se distraem na estrada. Em viagens longas, invista em fones de ouvido, livros em fita ou música de que todos gostem, ou mude o responsável pela seleção musical da família a cada meia hora, alternando meia hora de silêncio e meia hora de conversa. (Veja o Capítulo 2 – Brigas no Carro)

6 Algumas vezes o problema não é o volume, mas o controle do grave. Mostre a seus filhos como ajustá-lo, e, então, sua casa permanecerá firme nos seu alicerces.

7 Deixe claro: a música não pode interferir na lição de casa. Algumas crianças conseguem estudar bem com música ao fundo, mas, se seu filho estiver dançando em vez de trabalhar, use o Acordo Quando/Então:

> *Quando sua lição de casa estiver feita e dentro da mochila, então você poderá ligar a música.*

Se seu filho consegue se concentrar e terminar a lição ouvindo música, trata-se de um grande talento para o desenvolvimento de um adolescente, mas também é preciso aprender a estudar sem música. Ele precisará ser capaz de estudar em lugares tranqüilos, para que possa tolerar o silêncio da sala de aula e de uma biblioteca. Como muitos adultos descobriram, é muito fácil se tornar dependente da TV ou da música como barulho de fundo.

COMO DIZER "NÃO" E NÃO VOLTAR ATRÁS:

1 Se as regras da lição de casa e do volume forem quebradas, fique à vontade para usar o Recurso Final: desligue o aparelho ou confisque as pilhas. Não há razão para ter de agüentar algo que deixa você e outros membros da família loucos e não tem cabimento a música ter primazia (mesmo que seja para nossos filhos) sobre a lição de casa.

2 O mesmo vale para as tarefas domésticas. Algumas crianças ligam o som e desligam o cérebro. Se, quando a música estiver tocando, você não conseguir fazer com que elas parem por alguns momentos para ouvi-la, alimentar o gato ou arrumar a mesa, apenas desligue o maldito aparelho até que as tarefas estejam feitas.

3 Vamos conferir se desligar a música segue os critérios de uma Conseqüência efetiva.

- Isso tem significado para seu filho?

  Sim, sim, sim.

- Você tem controle sobre isso?

  Se seu filho permitir que você desligue e mantenha o aparelho desligado, você tem o controle. Se ele não permitir, você pode estabelecer o controle mudando o aparelho para a garagem.

- Você está disposta a usar isso como uma Conseqüência?

  Absolutamente. Na verdade, o perigo é estar disposta demais!

- É mínimo?

  Se for por um curto período de tempo, sim. De poucos minutos até uma hora é o suficiente.

Desligar o som parece ser uma Conseqüência efetiva. Lembre-se de primeiro dar uma Advertência; então tenha vontade e siga esse caminho. Aqui está um exemplo de Ordem, seguido por uma Advertência e, finalmente, uma Conseqüência:

(Música alta. Você entra. Não consegue contato visual, muito menos contato auditivo. Você acena muito. Faz um sinal "de tempo" para dar o Castigo. Alguém diminui um pouco o volume do amplificador. Você dá uma Ordem.)

Você: OK, crianças, depois desta música, preciso de vocês na cozinha para arrumar a mesa.

Crianças: Ah, mãe. Nós temos de fazer isso?

(Você ignora esse comentário e sai, confiante que seus adoráveis filhinhos farão como você pediu. Duas músicas depois, você retorna, diminui o volume, dá sua Advertência e sai.)

Você: Pessoal. Aquela música já acabou faz tempo. Eu darei trinta segundos para vocês aparecerem na cozinha prontos para o trabalho ou não ouvirão música o resto da noite.

(A maioria das crianças irá direto para a cozinha nesse momento, mas, por alguma razão, seus filhos a ignoram. Você entra pela terceira vez, desliga o amplificador; se quiser, tire da tomada para fazer mais drama e diga:

Você: Sem música até amanhã. O jantar estará pronto em dez minutos. Arrumem a mesa agora.

4 Se você começar a se sentir culpada durante qualquer etapa, lembre-se do conceito da Monarquia Benigna. Repita seu "Mantra Monárquico":

Quem paga o aluguel (hipoteca)?

Eu pago o aluguel (hipoteca).

Quem manda na casa?

Eu mando na casa.

Os trabalhos não estarão prontos se eu não fizer.

As crianças não se moverão se eu não reclamar.

Quem é Chefona?

Eu sou a Chefona.

Este é um trabalho solitário e é meu.

Crie seu próprio Mantra ou qualquer coisa que a ajude a ser firme.

5 Se toda essa questão do som ficar fora de controle, faça uma Reunião de Família. Siga os seguintes passos:

- Antes da reunião, defina o problema.

  A música é o problema. Não, na verdade, o problema é que as crianças estão me ignorando quando estão ouvindo música. Estou cansada de reclamar sobre as tarefas e a lição de casa. Estou farta de ter de gritar para ser ouvida.

- Pense em possíveis soluções.

  Jogue fora o aparelho de som.

  Esconda-o.

  Tenha uma regra: nada de música até que as tarefas domésticas e a lição de casa estejam feitas.

  Proíba música, exceto nos finais de semana.

- Redistribua as tarefas domésticas e insista em um acompanhamento. Se elas não forem feitas, nada de música até o dia seguinte.
- Planeje um tempo para a reunião e se sente com sua família.
- Fique calma, tranqüila e firme.
- Exponha o problema para sua família: *"Quando vocês ouvem música, me ignoram quando peço para fazer suas tarefas domésticas!"*.
- Peça soluções: *"Tenho algumas soluções em mente, mas quero ouvir suas idéias!"*.
- Se ninguém estiver a fim de solucionar o problema, anuncie sua solução predeterminada: *"Já que não há nenhuma sugestão, tenho uma – música somente nos finais de semana!"*.
- Isso deve inspirar alguma idéia. Permita que cada um tenha idéias e dê sugestões. Um membro da família pode registrar tudo em um papel. Não faça nenhum comentário.
- Elimine as soluções que todos achem desagradáveis ("Pai, você não pode jogar fora o gravador!").
- Dê atenção àquelas que você não cortou e cheguem a um acordo quanto a uma solução que será testada.
- Marque uma outra reunião para avaliar como o plano está funcionando. Se estiver dando certo, parabenize a todos. Senão, tente outra solução da lista.

6 Não espere que seus filhos controlem a música sozinhos. Eles não têm motivação para fazer isso. Você (e possivelmente os vizinhos) são os únicos que estão sofrendo aqui, os únicos que estão interessados na mudança. Música alta? É disso que eles gostam.

Demais

"Menos é mais"
- Browning

"Moderação em tudo"
- Terence

"É suficiente e servirá".
- Shakespeare

"Agora já chega".
- anônimo

"A Resposta é Não".
- Whitham

18
Exigindo Roupas de Grife

O PROBLEMA:

Sua filha exige jeans de grife ou um par de tênis caro que "todo mundo está usando". O jeans que pediu há alguns meses agora é menosprezado por não ser "legal", "da moda", "fashion" (seja o que for) e definitivamente da "tonalidade certa" de azul. Para não ser superada pela irmã, sua filha se recusa a ser vista com um par de tênis perfeitamente decente que da noite para o dia se tornou "ridículo". Você até estava planejando comprar um outro par como aquele porque achava que ficava tão bem! Você quer que sua filha selecione as roupas de acordo com seu orçamento. Está cansada de mau humor, revirada de olhos, suspiros e, acima de tudo, da falta de gratidão!

REFLEXÃO:

Foi-se o tempo em que ir às compras era uma oportunidade de estar junto de sua filha; hoje isso se tornou a ruína de sua existência. Ninguém gosta de recusar os desejos dos filhos, mas R$ 75,00 por uma calça jeans e R$ 150,00 por um par de tênis?! Por favor.

Aí acabamos lembrando de nossa infância e de como nossos "amigos" podem ser maldosos e críticos com tais superficialidades, como roupas. Queremos poupar nossos filhos da imposição que os cruéis colegas podem impingir, mas também queremos que eles vejam que são os colegas deles que estão fora de padrão e que a vida não é um desfile de moda. Esperamos, assim, ajudar os filhos a terem melhores valores e confiança suficiente até mesmo para agüentar o ridículo.

Encontrei pais que compraram roupas de grife, mas que depois ficaram chateados e desencorajados em fazer isso novamente por verem como seus filhos tratam esses artigos caros com descuido. Mesmo que você possa se dar ao luxo de gastar com extravagância, não está necessariamente fazendo um favor a sua filha dando a ela tudo o que quer. Em alguma época da vida ela estará se sustentando e se beneficiará de suas lições de valor, qualidade e gastos reais.

Esse é um assunto difícil, mas você poderá solucioná-lo conversando com sua filha antes ou depois, não durante a ida à loja.

COMO NÃO BRIGAR POR CAUSA DAS ROUPAS E PERMANECER DENTRO DO ORÇAMENTO:

1 Prepare sua filha para a pressão dos amigos. Aproveite enquanto ela ainda não pertence ao grupo. Celebre quando fizer uma escolha corajosa que vai contra o grupo ou quando se arriscar. Esse trabalho de base pode parecer não ter muito a ver com as escolhas de roupas, mas tem muito a ver com a construção de caráter, o que ajuda a desenvolver a autodefesa nas crianças, defesa de suas idéias, escolhas, incluindo as roupas.

Leia para seus filhos livros que tenham histórias de heróis oprimidos ou incomuns, que evidenciem a bravura emocional e a força interior. Converse com uma pessoa da biblioteca para que ela a ajude a escolher tais livros, que servem para crianças de qualquer idade.

Quando sua filha vier para casa com relatos de outras crianças que foram provocadas ou criticadas por causa da questão física, social, racial, religiosa ou outras diferenças, use esses casos como momentos importantes de aprendizado. Peça a sua filha que se coloque no lugar da criança que foi provocada. Qual foi o sentimento dela? E quanto ao valentão ou valentões? Por que eles pegaram no pé do colega de classe? Como sua filha se sentiu vendo isso? O que fez? O que queria fazer?

2 Durante o crescimento de sua filha deixe que ela participe de algumas realidades na hora de fazer compras. Tudo bem dizer: *"Não podemos comprar isto agora!"* ou *"É muito para pagarmos por isto, vamos esperar até uma liquidação!"* ou ainda *"Isto não é bem-feito e o preço não vale a pena!"*. Economize comprando na ponta de estoque (um conceito útil para ser introduzido nessa idade). Você dará um bom exemplo de como escolher sabiamente e ainda ser um comprador cuidadoso.

3 Vá às compras com ela e, então, poderão escolher roupas que as duas gostem. Pais freqüentemente compram coisas para seus filhos, mas depois dos oito anos isso se torna impossível. Você e sua pré-adolescente terão gostos contrastantes, a menos que você seja extraordinariamente sortuda.

4 Antes da ida às compras (antes de ela encontrar a jaqueta de duzentos reais) discuta com sua filha sobre o que ela acha que precisa e o que você está pensando:

Exemplo:

Podemos ir ao shopping neste final de semana comprar a jaqueta de que você precisa. Eu tenho X reais para gastar. Se você acha que gastará mais do que isso, pode usar suas economias. O que acha?

5 Se ela achar uma jaqueta que faz com que você fique de cabelos em pé por causa do preço, pense nestas opções: pague logo pela "droga" da jaqueta, diga "não", divida o gasto ou chegue a um acordo. Tenha algumas soluções e "um limite" em mente (o quanto está disposta a contribuir pelo artigo em questão).

6 Dê uma Escolha em vez de persuadir sua filha a comprar algo que não vestirá. Vamos pegar, por exemplo, uma garota que insiste em comprar certa marca cara de jeans. A mãe deve dizer:

Nós podemos comprar duas calças de preços razoáveis ou uma de grife. E não poderemos comprar mais calças jeans por seis meses. Se você concordar em lavá-la e não vesti-la suja, você pode comprar a mais cara.

Quem sabe? Talvez essa criança escolha duas calças de menor preço, ou comprará a calça e cuidará muito bem desse artigo exageradamente caro. Apesar de tudo, aprendemos mais com a experiência do que com os sermões de nossos pais.

7 Ouça as preocupações de sua filha. Elas parecerão triviais, mas são muito importantes para ela. Na verdade, acredito que compreender a pressão dos amigos que ela terá de encarar pode ser mais importante para ela do que efetivamente comprar o artigo em questão. Veja como poderia ser a conversa de um pai com seu filho:

Pai: Fale-me sobre esses tênis que você quer tanto.

Chris: Eu tenho de tê-los. São muito legais.

Pai: São realmente bonitos, mas são muito caros, e você sabe como os tênis estragam rápido.

Chris: Mas todo o pessoal está comprando um.

Pai: Eu sei. Esse é o tipo que todos querem, mas você acha que todos eles poderão se dar ao luxo de comprar um?

Chris: Com certeza. O Kevin já tem um e o James disse que os pais dele comprarão um par para ele.

Pai: Eles custam muito mais do que podemos pagar. Você poderia comprar dois pelo preço de um. Mas realmente parecem ótimos tênis.

Chris: Eles são ótimos para jogar basquete. Eu poderia pular duas vezes mais alto com aqueles tênis, tenho certeza.

Pai: Aposto que poderia. Mas e aquele último par de tênis que você comprou? Parecia gostar dele e durou tanto tempo.

Chris: Papai, ninguém mais usa aqueles.

Pai: Oh, aqueles estão "fora de moda" agora.

Chris: Só idiotas usam aqueles tênis.

Pai: Então, será muito embaraçoso usar aquele estilo.

Esse exemplo mostra que mesmo que o pai não tenha dado um "sim" ou "não" firme, ele e seu filho estão conversando de maneira civilizada. O pai está se esforçando ao máximo para ver a situação do ponto de vista do filho (Técnica do Espelho). Esse pai poderia tentar solucionar o problema com sucesso usando o formato de Reunião de Família:

- Determine o problema.
- Identifique os assuntos por trás do problema.

- Primeiras soluções: registre todas em um papel.
- Escolha uma solução que ambos estejam dispostos a tentar.
- Faça uma outra reunião para avaliar o sucesso da opção escolhida. Adapte as regras, se necessário.

Pai: Eu diria que o problema é que você gostaria que eu comprasse um par de tênis que custa duas vezes mais que aquele que posso comprar, mas que é muito importante para você. Você concorda que o problema é esse?

Chris: Com certeza.

Pai: Vamos ver as questões por trás desse problema.

Quais são nossas preocupações?

Chris: Que eles custam muito.

Pai: Bom. É uma das minhas preocupações. E uma outra preocupação é que logo os tênis se estragarão e seus pés crescerão.

Chris: Bem, não posso evitar isso.

Pai: E quais são suas preocupações?

Chris: Se eu usar outra coisa parecerei um idiota.

Pai: E seus amigos pensarão que você parece um idiota.

Chris: Certo.

Pai: Algo mais? Não? OK, acho que entendemos as preocupações. Agora vamos às possíveis soluções. Vamos fazer uma lista de tudo o que podemos tentar. Mas a regra é: ninguém pode criticar a sugestão de ninguém.

Chris: Minha solução é: você compra os tênis para mim.

Pai: Outra solução é você comprar um par de tênis por um preço bem menor.

Chris: Eu não consigo pensar em mais nada.

Pai: Você mesmo poderia comprá-los com seu dinheiro.

Chris: Oh, com certeza. Onde eu conseguiria tanto dinheiro?

Pai: Lembre-se, sem críticas.

Chris: Talvez a gente pudesse ir em uma liquidação.

Pai: Agora você está pensando!

Chris: Ou eu poderia andar descalço pelo resto da minha vida.

Pai: Ou poderíamos dividir o custo.

Chris: O que você quer dizer?

Pai: Eu poderia colocar a quantia de dinheiro que acho justa e você completaria o restante com suas economias ou sua mesada.

Chris: Ou você compraria os tênis e eu poderia pagá-lo fazendo tarefas domésticas.

Pai: Nós temos muitas idéias escritas aqui. Vamos marcar aquelas que queremos tentar.

Nessa reunião, o pai e o filho estão, na verdade, pensando em algumas soluções funcionais. Eles precisam selecionar uma e pensar nos detalhes: a quantia que o pai pagará, a quantia que o filho pagará ou o calendário de pagamento das tarefas domésticas. Eles também precisam discutir sobre os outros assuntos que o pai trouxe à tona, como a rapidez com que os tênis se estragam. Talvez o filho concorde em ter cuidado com os tênis e aceite certas Conseqüências se não o fizer.

Se você resolver comprar um artigo caro porque realmente pode, é uma ocasião especial ou está dividindo o custo com sua filha, tudo bem estabelecer algumas condições, por exemplo: *"Não quero ver esse par de tênis tênis esquecido lá fora, usado sem amarrar ou coberto com lama; se isso acontecer, você financiará o próximo par!"*.

COMO DIZER "NÃO" E NÃO VOLTAR ATRÁS:

1 Se sua filha não concordar com quaisquer das soluções discutidas e vocês não forem capazes de chegar a um acordo, você deve simplesmente fazer pé firme e cancelar a ida às compras.

2 Se sua filha começar com um repertório pré-adolescente de levantar a voz, suspirar alto, revirar os olhos, bater as portas, sair batendo os pés pela casa, praguejar, xingar, lamentar, chorar e dizer que a vida está arruinada, não ceda. Você pode até se abalar, mas não ceda!

3 Se for preciso dizer alguma coisa, diga uma vez, e somente uma vez, que nada mudará sua opinião. De maneira calma e controlada, diga: *"Eu entendo que você esteja chateada. Se falar sobre isso calmamente ou me escrever uma carta, eu ficarei feliz em ouvi-la, mas por hoje a ida às compras está cancelada!"*. Então, saia, pegue uma revista, dê um telefonema, veja o que tem na geladeira, e espere até que ela fale com você em um tom razoável.

4 Se você está em uma loja e ela faz uma cena, dê uma Advertência de Conseqüência. *"Se você não puder falar em um tom normal de voz, sairemos da loja agora sem comprar nem uma meia!"*. Para essa Conseqüência ter peso, você deve estar realmente disposta a deixar a loja sem a compra. E, se ela continuar a berrar, você deve dar as costas e andar com calma e confiança em direção à saída da loja. Ande deliberadamente para o carro (não corra, pois ela precisa ser capaz de segui-la) e entre. Ocupe-se lendo o guia de ruas ou um folheto qualquer até que ela tenha prendido o cinto de segurança, então ligue o carro e dirija para casa.

Não leve sua filha às compras novamente até que tenham uma Reunião de Família e cheguem a um acordo.

5 Para crianças que estão começando a andar e jovens crianças que explodem de raiva durante a ida às compras, a Conseqüência pode ser você sair da loja e da próxima vez eles ficarem em casa. Se resolver ir sozinha às compras, certamente leve em consideração os gostos gerais deles ("sim" para lilás ou cor-de-rosa, "não" para golas altas ou colarinho, "sim" para zíper, "não" para botões, "sim" para calças de agasalho, "não" para calças jeans), mas tome as decisões de acordo com seu melhor julgamento.

6 Elogie sua filha, mesmo que ela ainda esteja nervosa, quando se sentar e conversar racionalmente sobre a situação. Bole um plano viável, aceite a realidade do orçamento ou solucione seu dilema de modo criativo. Por exemplo, uma criança que eu conheço disse a sua mãe antes de uma dança especial na escola: *"A Susie e eu vamos trocar, vestirei o melhor vestido dela e ela vestirá o meu!"*.

A resposta da mãe dela foi muito positiva: *"Que idéia legal! E, com o dinheiro que vamos economizar, que tal ir ao cabeleireiro para arrumar os cabelos?"*.

19
Súplicas no Supermercado

O PROBLEMA:

Especialmente em supermercados, sua filha não pode andar pelo setor de balas ou brinquedos sem exigir que você compre algo para ela. Ela choraminga, pede cereais com açúcar, chocolate, chiclete, um saquinho pequeno de alguma coisa... simula até uma parada cardíaca quando não consegue o que quer. Você? Você quer uma ida ao supermercado sem perturbações. Simples assim.

REFLEXÃO:

Se, de vez em quando, as crianças pedirem algo que as agrade no supermercado e aceitarem o nosso "não" quase tão rapidamente quanto o nosso "sim", eu não acho que isso seja um problema. Os pais ficam frustrados quando os pedidos se tornam implorações e quando seu firme, mas agradável, "Não! Hoje, não, querido!" resulta em gritos.

Para começar, pense o que realmente a deixa louca quando sua filha começa a fazer isso. É o que pede ou o fato de estar pedindo? Se estiver pedindo comida, será que está realmente com fome? Um lanche saudável e um iogurte antes das compras poderiam resolver o problema? Ou é porque sua filha exigiria coisas mesmo se tivesse acabado de comer uma refeição com entrada, prato principal e sobremesa e tivesse os bolsos cheios de guloseimas?

Para sua filha mais velha, que pode dizer: *"Eu mesma vou pagar!"*, você é obrigada a considerar exatamente por que não quer comprar o artigo. Você não quer que ela desperdice seu dinheiro? Não quer que compre balas ou refrigerantes? Você odeia o lixo de papéis de bala e brinquedos de plástico que está se acumulando no quarto dela?

No final, você tem três opções: 1) decidir que comprar não é nunca (ou raramente) um momento de fazer agrados a seus filhos; 2) permitir que sua filha gaste ou desperdice seu próprio dinheiro; 3) desistir e ceder à exigência por um lanche ou uma moeda para uma máquina de minúsculos brinquedos de plástico. Eu recomendaria a primeira; realmente odeio esse tipo de comportamento nas crianças. É claro que você pode optar pela segunda; meus amigos me dizem que, se as crianças pagarem as porcarias que querem comprar, logo elas perderão a graça. Se escolher a última, um aviso: algumas famílias acham que uma recompensa ao final das compras inspira uma cooperação fantástica. Se fizer isso, em vez do seu elogio ou atenção, sua filha esperará e exigirá essas recompensas o tempo todo.

"Recompensa? Nunca!" Você pode pensar: *"Será que não tenho o direito de ter cooperação nas compras sem recorrer ao suborno? Não estou apenas comprando para mim, mas para a família toda!"*. Tem toda a razão. Fazer supermercado não é um prazer pessoal e é claro que você tem o direito de ir às compras cotidianas com o mínimo de stress e gastos desnecessários. O Elogio é uma recompensa bem-vinda para um bom comportamento em lojas. Uma vez que a regra que proíbe as exigências está clara, um agrado ocasional será bom e terá impacto efetivo.

Seja como for, escolha uma regra antes de entrar no mercado, não depois de você já ter entrado naquele lugar tentador.

COMO CONSEGUIR UMA IDA ÀS COMPRAS SEM PERTURBAÇÕES:

1 Estabeleça a regra claramente: *"Nada de pedir bugigangas e brinquedos quando estivermos fazendo compras!"*. (Se você estiver comprando e sua filha estiver com fome, compre algo saudável como frutas ou iogurte.)

2 Respeite as regras. É bom ser flexível, mas é confuso e injusto se forem mudadas muito freqüentemente. Se, em uma tarde, você decidir recompensar sua filha, por exemplo, permitindo que compre um brinquedo, porque ela fez tarefas domésticas extras para você de manhã, deixe claro antes de entrar na loja que o presente especial é pelos serviços extras que ela fez. Espere um pouco antes de oferecer uma recompensa pela ida às compras novamente, a fim de que ela não espere nem implore por isso.

3 Assim que você entrar no supermercado, dê a sua filha um Lembrete (não sermão!): *"Lembre-se, Lisa, nada de pedir presentes no supermercado. A resposta será 'não'!"*.

4 Depois dos primeiros minutos de cooperação, elogie sua filha: *"Lisa, você está fazendo um ótimo trabalho me ajudando com as compras!"* ou *"Obrigada por se lembrar da regra, Lisa!"*.

5 Dê a ela tarefas específicas durante as compras, maneiras construtivas para conseguir sua atenção. Pegue duas latas de molho de tomate e deixe que ela pegue mais uma. Peça a ela que escolha entre os muitos cereais ou que a ajude a selecionar as laranjas de que você precisa. Ela pode contar cada batata enquanto coloca no saquinho que você está segurando ou tomar decisões, como: *"O macarrão parafuso ou o gravatinha?"*. Permita que sua filha mais velha faça algumas compras. Dependendo da idade, dê um, dois ou três itens para ela procurar. Diga a ela o número do corredor que você estará ou que ela terá de encontrá-la na área de frutas e verduras em poucos minutos.

Como você está envolvendo sua filha, ela lhe dará toda a atenção e possivelmente entenderá por que você não está comprando e por que diz "não" para certos itens. Não é porque seja egoísta ou mesquinha, mas porque tem uma lista de compras e está trabalhando dentro de um orçamento.

Às vezes não haverá tempo para deixar que ela ajude você. Quando estiver com pressa, avise com antecedência que você fará as escolhas. Diga o que ela tem de fazer para ajudá-la: *"Hoje nós estamos com muita pressa. Pegarei a comida e você empurrará o carrinho, tá bom?"*.

6 Se todo tribunal do mundo a considera culpada por Ceder às Exigências e você gostaria de desenvolver um hábito melhor, tente substituir a variação do Se / Então por um Acordo Quando / Então. No caminho para a loja, ofereça um "prêmio" por boa cooperação a ser dado quando você chegar em casa, por exemplo:

> *Se você não pedir presentes na loja, logo depois que chegarmos em casa, brincarei de bonecas com você.*

Se você não implorar por presentes na loja, poderá escolher algo do Baú do Tesouro quando voltarmos.

O Baú do Tesouro pode ter pedaços de papel enrolados e escritos com atividades que sua filha goste de fazer.

Esse Acordo será útil para afastar sua filha da expectativa de que presentes serão comprados na loja. Mais para frente, você pode substituir um obrigado verbal por um tesouro mais evidente.

7 Uma família que conheço tem a política de "um brinquedo por mês". Eles permitem que cada filho compre um brinquedo bem barato ou um presente por mês. Quando estão no supermercado ou fazendo outras compras e seus filhos querem uma guloseima, simplesmente dizem: "É este seu brinquedo do mês?". A criança então analisa se realmente quer aquilo ou se prefere esperar por alguma coisa melhor. A família conta que essa tática reduziu as exigências em todas as idas às compras.

COMO DIZER "NÃO" E NÃO VOLTAR ATRÁS:

1 No carro ou fora da loja, relembre a regra: *"Lembre-se, sem pedir presentes enquanto fazemos compras!"*.

2 Se sua filha começar a implorar ou fazer escândalos dentro da loja, diga que ignorará suas súplicas: *"Eu disse 'sem' balas e não vou falar mais sobre isso!"*. Em um segundo ou dois redirecione a atenção da criança, perguntando quais maçãs ou bananas parecem melhores.

3 Se sua filha tiver uma total explosão de raiva, ignore como se sua vida dependesse disso. Finja que aquela personagem barulhenta não é sua filha. Ande um pouco à frente, mas não tanto para assustá-la ou fugir dela. Leia todos os rótulos que tiver ao alcance de sua vista. Comente com os curiosos que estão olhando: *"Crianças! São sempre assim, não são?"* ou, se você está querendo admitir a paternidade, diga: *"Aquele livro que li disse para ignorar, mas não é tão fácil quanto parece!"*.

Espere por ela do lado de fora, permanecendo calma, independentemente daquilo que sua filha faça. Não levará mais do que dois ou três ataques ignorados com sucesso para que sua filha entenda a mensagem de que a mamãe e o papai não cedem aos gritos e que, quando a mamãe e o papai dizem "sem bala", eles querem dizer "sem bala" e a quantidade de gritos não mudará isso.

4 Tenha em mente pensamentos que ajudem.
Eu consigo agüentar mais do que ela. Eu consigo agüentar mais do que ela.
Esta pode ser minha última e mais importante batalha em uma loja.
Eu sobrevivi ao trabalho; eu consigo sobreviver às explosões de raiva!

5 Esteja pronta para elogiar. A gente nunca sabe quando ela interromperá a explosão de raiva, já que perde toda a graça quando ninguém reage a seu ataque. Quando ela se acalmar, dê alguma atenção positiva, como envolvê-la novamente nas compras. *"Oh, não... esquecemos a comida do cachorro. Pobre Billy! Ajude-me a encontrar algo!"*. (Ignorar não é efetivo a menos que seja seguido por uma atenção positiva.)

6 Se for uma criança que está começando a andar e for hora de ir embora, dê uma Escolha: *"Estamos indo embora agora. Você quer ir andando ou devo carregá-la?"*. Se ela se jogar no chão com fúria, diga: *"Parece que você quer andar!"*, e vá devagar e com confiança (ah!) em direção à porta. Certifique-se de que ela possa vê-la e você sabe exatamente onde ela está. Não olhe em seus olhos. Pare para dar uma olhada nas plantas expostas. Isso pode levar algum tempo, mas é certo que sua filha se levantará e a seguirá, magoada, com certeza.

Quando ela a alcançar, faça um Convite de Volta à Família: *"Você acha que a mamãe gostará daquele bolo de coco que nós pegamos?"*. Se ela gritar: *"Não!"*, apenas ignore e tente de novo dentro de alguns minutos. Se ela estiver fazendo o que você quer, tolere essa prolongada atitude negativa. Sua filha precisa ficar emburrada e não recompensará com alegria.

Se ela preferir ser carregada, dizendo (ou gritando) *"Me pega!"*, você pode dizer suavemente (mas não com ar de triunfo): *"Eu ficarei feliz em pegá-la!"*. Estique seus braços, pegue-a e diga: *"Boa Escolha!"*. Novamente, apenas ignore seu mau humor.

7 Se a Escolha de andar ou ser carregada não funcionar e ela continuar gritando no chão, dê uma Advertência de Conseqüência que seja importante para ela. Por exemplo, se você havia combinado com ela de ir ao *pet shop* para ver os gatinhos, você pode dizer: *"Se você não vier comigo agora mesmo, nós não teremos tempo para ver os gatinhos no pet shop!"*. Dê um minuto, verifique se suas chaves estão em seu bolso e, então, comece a andar em direção à porta. É mais provável que ela a siga, embora relutante.

Tome cuidado para não recompensar uma explosão de raiva. Somente retire um privilégio que você já tenha combinado com a criança. Se ainda não tivesse falado sobre ver os gatinhos, não poderia usar isso como uma Conseqüência. A criança entenderia a seguinte mensagem: *"Ah... eu fiz manha e a Mamãe me levará ao pet shop para me fazer parar!"*.

Talvez tenha de pegá-la mesmo se estiver chutando e gritando. Faça isso com calma e firmeza, virando seu rosto para evitar pancadas ou arranhões.

8 Não dê sermão ou explicações nem a censure. Não é possível pensar claramente durante uma explosão de raiva. Você estaria desperdiçando seu tempo.

9 Quando forem às compras novamente e ela participar por sua livre vontade, elogie com um simples *"Obrigada!"*.

20
"Só Mais Um!"

O PROBLEMA:

Seu filho exige descer "só mais uma" vez no escorregador, ver só mais um pouco do filme antes de ir para a cama, jogar mais fliperama, andar mais um pouco de bicicleta, comer mais alguns biscoitos do pote, brincar com mais um jogo ou ouvir outra história para dormir ou pede o popular "só mais cinco minutos". Você não gostaria de bancar o Bicho-papão depois de se divertir com seu filho.

REFLEXÃO:

As crianças não querem que a diversão acabe. Elas nunca estão prontas para ouvir os pais dizerem: *"Está na hora de ir!"* ou *"Acabou, chega!"*. É impossível ser herói ou heroína na hora de pedir para parar de brincar. Esse é o momento em que as crianças têm controle sobre suas vidas por algum tempo e nós estamos arrancando isso delas.

Tentamos dar mensagens claras e impor limites e vamos encarar, mas às vezes nossos corações não estão envolvidos. Nós gritamos: *"Dez minutos, pessoal!"*, querendo dizer algo entre cinco ou trinta minutos, e as crianças sentem isso. E, porque não estamos totalmente envolvidos, um pequeno aborrecimento, uma pequena queixa, uma pequena súplica, e nós amolecemos. Então, qual é o problema? "Uma vez mais" não vai machucar, não é?

Alguns pais não se incomodam com pedidos como "só mais uma vez". Eles consideram que seus filhos estão sendo razoáveis. Avaliam a situação, às vezes dizem "sim", às vezes dizem "não"e as crianças aceitam a decisão e ponto final. Se seu filho nunca aceita seu "É hora de ir!," continue lendo. O remédio é realmente simples.

COMO CONSEGUIR UMA SAÍDA RÁPIDA:

1 Estabeleça um modelo que possa seguir coerentemente. Seu modelo deve incluir:

- Um Comunicado de quantos minutos mais ou quantas vezes mais (como "descer no escorregador três vezes mais").
- Um aviso de quando o tempo acabou: "É hora de ir!".
- Uma Saída Rápida.

2 Conheça a si mesmo. Se você estiver propenso a permitir "mais um", por que não conceder o privilégio de antemão? *"Você pode comer duas bolachas!"* é melhor do que dar uma e dar a segunda depois que ele fique implorando.

Do mesmo modo, fazer o Comunicado: *"Você tem mais dez minutos no videogame"* é melhor do que dizer a seu filho que é hora de sair e, então, ceder aos pedidos de "mais cinco minutos." A idéia principal aqui é: não recompense reclamações.

3 Esteja pronto para ir. Se você der seu Comunicado, dizendo a seu filho que é hora de ir, mas depois gasta vinte minutos dando seus *tchaus*, você perderá credibilidade. Ele ignorará sua mensagem "É hora de ir!" porque sabe que não é.

4 Uma vez que aprendeu a manter suas armas e seu filho aceita o "não" como resposta sem falar nada além de um "Ahhh, Pai!", você pode tentar ser flexível.

Você pode aceitar um pedido sensato sem lamentações ou "uma nova informação" (por exemplo: *"Pai, amanhã não tem aula. Que tal mais dez minutinhos?"*)

Você pode aceitar a proposta de um Acordo se estiver certo de que seu filho o seguirá. Meus filhos podem tentar negociar: *"Nós podemos ficar só mais dez minutos? Prometemos levantar no horário amanhã de manhã!"*. É um ótimo acordo para mim. Se dez minutos podem comprar uma manhã de cooperação, serei persuadida. Se, no entanto, a manhã seguinte for uma batalha, não aceitarei outros acordos no futuro.

COMO DIZER "NÃO" E NÃO VOLTAR ATRÁS:

1 Prepare-se para a situação que você tanto teme, decidindo o que quer e o Comando que dará a fim de dar tudo certo. Vamos tomar como exemplo o momento de sair da casa de um amigo. Você dá um Comunicado: *"Nós iremos em cinco minutos!"*. Os cinco minutos se passaram e você diz: *"Estamos indo agora!"*. Naturalmente, você já organizou suas coisas e deu seus *tchaus*, então vai em direção à porta. Suas ações devem apoiar a mensagem "Estamos indo agora!".

2 Não ceda a qualquer uma das táticas de seu filho: implorar, perturbar, lamentar, chorar, pedir, persuadir ou sofrer uma tosse repentina. Mantenha sua posição, vá embora. Abra a porta, segure-a para ele e espere calmamente. Sua conduta deve ser: *"Não tem 'mais' e esperarei aqui o dia todo até que você entenda!"*.

3 Se seu filho se jogar no chão, ignore. Não olhe mais para ele e dê as costas rapidamente. Você pode também continuar andando de maneira deliberada e calma, contanto que seja seguro. Não deixe uma criança pequena em casa sozinha porque ela entrará em pânico. (Se você estiver em um parque, ande somente uns poucos passos à frente da criança e, disfarçadamente, fique de olho nela.)

4 Se ela não seguir você e for pequena, terá de carregá-la. Faça isso da maneira mais calma que puder. Vire seu rosto e pense: *"Firme e neutro, firme e neutro."* Ignore os gritos e os protestos e os "Eu odeio vocês!".

5 Se seu filho desafiar você, dê a ele uma Advertência de Conseqüência. Para ter eficácia, a Conseqüência deve ser a retirada de um privilégio:

- que tenha significado para seu filho;
- sobre o qual você tenha controle;
- que você esteja disposto a cumprir;
- que seja mínimo (pequeno e imediato).

As Conseqüências que costumam funcionar incluem:

- Ir para a cama quinze minutos mais cedo.
- Perder um privilégio eletrônico (TV, rádio, videogame).
- Não brincar com o brinquedo preferido, tais como: skate, bicicleta, patins, trenzinho.
- Não ouvir uma história extra para dormir (não a única) ou reduzir (não eliminar) o ritual da hora de dormir (hora de conversar, canção de ninar).

No caso de uma criança que corre para se esconder em algum outro lugar, os pais devem segui-la, manter contato visual (ou "contato auditivo" se ela estiver fora do alcance da vista) e dar a Advertência em tom sério e firme: *"Venha comigo agora ou não assistirá televisão hoje à noite!"*. Dê as costas e se afaste. Seu filho pode levar um minuto para ir atrás de você. Se não vier dentro de um período de tempo razoável, siga com a Conseqüência.

Se ele sofrer uma Conseqüência uma ou duas vezes, aprenderá o que significa quando você diz: *"É hora de ir agora!"*.

6 Seja consistente. Fique firme. Cada vez que você faz valer seus direitos e mantém sua decisão, terá mais forças para o próximo combate. Eu prometo, será mais fácil.

21 Dinheiro

O PROBLEMA:

Seu filho exige dinheiro para comprar brinquedos e guloseimas. Você quer que ele use sua mesada, seus ganhos ou suas próprias economias em vez de aborrecê-lo por causa de dinheiro. Você gostaria que ele entendesse que nem sempre pode ter o que quer e quando quer.

REFLEXÃO:

As famílias querem que seus filhos entendam o valor do dinheiro, saibam que ele não nasce em árvores e aprendam sobre ganhar, economizar e gastar dinheiro sabiamente. Uma coisa que pode ajudar é os pais darem uma mesada ou permitir que a criança compre um brinquedo em troca de afazeres domésticos. Às vezes, os pais passam por momentos difíceis, por causa de pedidos em público (ou súplicas) por dinheiro. Em uma loja, por exemplo, rodeados por estranhos, os pais ficam tentados a ceder, para não correrem o risco de uma cena desagradável.

Se o gasto não for o problema, os pais talvez pensem: "Por que ele não pode ganhar isso? Eu posso comprar!" ou "Eu sinto prazer em dar, por que não?". Mas, mesmo quando podemos comprar, uma voz interior diz: "Eu não deveria dar tudo o que ele quer, deveria?". Eu acho que essa é uma boa voz para ser ouvida.

Há muitas razões para sermos sensatos ao distribuir presentes e dinheiro. A maioria de nós se lembra da infância, quando os brinquedos que ganhávamos por mérito próprio tinham um valor especial. Com certeza todos nós conhecemos uma criança excessivamente mimada, que tem o péssimo hábito de esperar por pequenos presentes e uma insensibilidade aos limites do bolso da família. De vez em quando observamos nosso próprio filho esquecer rapidamente os brinquedos e as bugigangas que ele conseguiu sem nenhum esforço; ficam espalhados pelo chão do quarto, dentro do carro ou fora de casa.

Parece que toda vez que você sai com seu filho, ele pede dinheiro para gastar, o que transforma as compras ou outras atividades sempre em um verdadeiro pesadelo. Talvez ele seja uma pessoa econômica, guarde cada centavo e tenha mais dinheiro na carteira do que você. Entretanto, não quer gastar o próprio dinheiro, quer gastar o seu!

Pense nos valores que você quer que seu filho adquira e, então, estabeleça políticas em sua casa sobre presentes ocasionais, empréstimos, pedido de dinheiro e outras possibilidades financeiras.

ENSINANDO A ADMINISTRAR O DINHEIRO (Noção de dinheiro e não falta de noção):

1 Em geral, evite dar presentes com freqüência. As crianças desenvolvem valores melhores e apreciam o dinheiro e os brinquedos se eles forem ganhos, economizados ou dados em ocasiões especiais.

2 Dê uma mesada, que pode estar relacionada aos serviços domésticos ou dada apenas porque a criança faz parte da família e precisa ter algum rendimento. Pergunte a outros pais sobre o valor, mas use seu bom senso para manter um valor razoável.

Dê uma mesada regularmente e faça isso de maneira pontual. Muitos pais se esquecem de ter o dinheiro em mãos no dia do pagamento. Se quisermos que nossos filhos sejam responsáveis, precisamos ter responsabilidade quanto a nossos acordos com eles.

3 Abra uma conta de poupança para seu filho em seu banco. Ele pode aprender sobre economias ou ganhos e também taxa de juros.

4 Trabalhe com seu filho o conceito de orçamento e economia. Se ele quiser correr para a loja da vizinhança para gastar toda a mesada em besteiras, fale sobre algumas coisas que ele poderia comprar com duas ou três semanas de economia.

Estar "livre" para gastar o dinheiro em um passeio pode ensinar uma lição valiosa. Nas férias, minha filha gastou todo o seu dinheiro em poucos dias indo a uma loja de balas de "um centavo", saindo para comer hambúrguer com os amigos quando a comida em casa não parecia ser suficientemente atraente. No final de nossa viagem, fomos a uma livraria, onde o irmão dela ainda tinha dinheiro para gastar. Ela não tinha nada. *"Cara, eu aprendi a lição!"*, disse ela. E eu nem mesmo dei um sermão!

5 Se a mesada acabar, deixe que seu filho ganhe dinheiro fazendo serviços especiais em casa. Os afazeres comuns ficam velhos. Às vezes, as crianças fazem os serviços domésticos com alegria porque são afazeres novos. Combine com sua companheira o que elas poderiam fazer. Meus filhos odeiam esvaziar a máquina de lavar louças, mas, de vez em quando, acham que varrer as escadas da frente ou esfregar o chão da cozinha é uma novidade. Quando estão interessados em ganhar dinheiro, negociamos ótimos acordos.

6 Estabeleça uma "lista de desejos" para o aniversário de seu filho, para as férias e para ocasiões especiais. Quando ele pedir alguma coisa, diga: *"Que ótimo brinquedo para colocar na lista de desejos!"*.

7 Em geral, tome cuidado com as propagandas. Eu estabeleci uma regra, quando meus filhos eram crianças, de que não compraria brinquedos que vissem na televisão (nem se ficassem me perturbando). Conseqüentemente, eles nunca imploraram por causa de mercadorias que viram na televisão. Eu consegui uma folga durante as férias.

8 Quando seu filho estiver crescendo, estabeleça expectativas claras e específicas sobre o comportamento nas lojas. Faça um Teste para conseguir ajuda nos afazeres:

- Tenha em mente uma tarefa, para a tarde, que não seja crucial.
- Decida as regras para o passeio. Uma regra pode ser: *"Não implore para eu lhe dar dinheiro!"*.
- Dê uma Advertência assim que entrarem no carro ou chegarem à porta da loja: *"Lembrem-se, se pedir dinheiro, sairemos da loja e iremos embora!"*.
- Se a regra for quebrada, saia imediatamente. É inconveniente, mas uma vez é suficiente para mostrar que você não está brincando.

9 Ouça sempre o pedido completo. Evite um "não" automático. Um pedido que começa com "Ei, pai, olhe! Cavalinhos em miniatura. Eu poderia..." talvez termine com "... comprar um?" ou "...colocar aquilo na minha lista de aniversário?".

10 Se possível, não leve seus filhos naquelas lojas enormes de brinquedos. É doloroso demais em todos os sentidos.

11 Se você tiver de comprar um presente para outra criança, prepare-o:

Hoje vamos comprar o presente da Patrícia. Não compraremos nada para você. Você pode encontrar coisas para colocar na lista de desejos de seu aniversário. Se achar que talvez queira algo, leve seu próprio dinheiro.

12 Se ele quiser algo e se oferecer para pagar a metade, você deve considerar esta opção. Isso significa que ele está disposto a comprometer seus ganhos. Para um item que quer que ele tenha, como um livro, você deve pagar a metade.

Se decidir "pagar a metade", pegue o dinheiro dele assim que chegar em casa, mesmo que isso signifique que ele tenha de lhe dar um Vale para ser deduzido da próxima mesada. Não "pague a metade" com muita freqüência ou isso se tornará um problema.

13 Se seu filho estiver sempre sem dinheiro, faça uma Reunião de Família e introduza a idéia do orçamento. Ajude-o a ajustar seus hábitos de gastos. Por exemplo, se ele gosta de livros ou histórias em quadrinhos, poderá economizar dinheiro pegando emprestado na biblioteca. Você poderá pensar em adaptar a mesada ou fornecer oportunidades para que ganhe um pouco mais a cada semana.

COMO DIZER "NÃO" E NÃO VOLTAR ATRÁS:

1 Se ele implorar por dinheiro em casa ou no carro, use a Técnica do Disco Riscado. Repita a mensagem *"Eu disse 'não' e isso significa 'não'!"* até que seu filho entenda.

2 Se ele implorar em uma loja, diga que vai ignorá-lo: *"Não ouvirei mais nenhuma súplica. Fim de papo!"*. Calmamente, continue a fazer compras. Pegue os itens de que você precisa o mais rápido possível, no caso de precisar fazer uma saída apressada. Ignore qualquer manifestação de mau humor, prestando atenção ao bom comportamento.

3 Se ele não se acalmar, diga que você está saindo. Pague pelas compras que veio buscar e vá com calma e segurança em direção à porta, mas não tão rápido a ponto de assustar a criança. Seu filho deve ser capaz de ver você o tempo todo.

4 Se ele não a seguir, dê uma Advertência de Conseqüência: *"Se você não sair comigo agora, ficará de Castigo!"*. Se ele não for, coloque-o de Castigo em um canto da loja.

Se ele ainda se recusar a ficar no Castigo, tenha uma Conseqüência reservada em mente: *"Ou você leva um Castigo de cinco minutos agora ou um de quinze minutos assim que chegarmos em casa!"*. Uma outra Conseqüência pode ser: *"Você perderá quinze minutos de sua hora de assistir à televisão hoje à noite!"*. Como este é um assunto referente a dinheiro, como Conseqüência ele terá de pagar uma multa de cinqüenta centavos.

Se seu filho merecer um Castigo, como não assistir à TV, ser multado ou uma outra Conseqüência, você deve aplicá-lo.

5 Faça um acordo claro com seu filho antes de levá-lo novamente: *"A única maneira de ir às compras comigo é se trouxer seu próprio dinheiro e não pedir nenhum empréstimo. Se concordar poderá ir!"*.

Cedo Demais

Por volta de nove anos nossos filhos têm uma vaga idéia da adolescência. Logo estarão dando pequenos sinais de avanço. Dos nove aos doze anos a palavra de ordem é "Pare por aí".

22
Maquiagem

O PROBLEMA:

Sua filha de 12 anos de idade (ou mais nova) quer usar maquiagem. Ela diz que todas as suas amiguinhas usam e que você é antiquada. Você quer evitar constrangimentos (dela ou seu), mantê-la como uma criança por um pouco mais de tempo e dissipar os rumores de que ela está tentando ser Lolita, A Próxima Geração.

REFLEXÃO:

Algumas meninas querem crescer rápido. Ao atingirem nove anos, seus corpos mudam e elas antecipam com grande excitação seu primeiro sutiã, meias finas, saltos e maquiagem. Você pode não estar pronta para a transformação que acontece rápido demais, mas sua filha não pode esperar.

Na sexta série, ela terá amigas que usarão maquiagem para ir à escola, com ou sem a permissão dos pais. Ela pode pensar que isso é ridículo ou pode querer agir como suas amigas. Talvez entenda ou não o que a maquiagem pode provocar nos meninos (quase homens) e pode aceitar ou não que sua resistência à maquiagem é para protegê-la até que seja adulta o suficiente para lidar com isso.

Daqui a alguns anos, quando estiver com catorze ou quinze anos, você terá de ponderar uma variedade de fatores: o que suas amigas fazem, a pressão delas sobre sua filha, a maturidade física e emocional dela, seus medos reais e irreais, suas objeções menos racionais ("Não permitiram que eu usasse maquiagem até a primeira série do ensino médio!"), o tipo de maquiagem que escolhe e as reações que a aparência maquiada inspira!

Para os pais de uma menina de doze anos ou menos, considere dizer "sim" para batom levemente colorido ou unhas pintadas, mas "não" para maquiagem em público (a não ser que esteja envolvida com teatro, dança ou outras apresentações). Você certamente pode permitir maquiagem para ir às festas em que um grupo de meninas dorme na casa de uma delas ou quando as amigas dormem em sua casa.

Como em muitos assuntos de amadurecimento, você e seu parceiro precisam concordar, ou pelo menos ser capazes de fingir que concordam, a fim de impor os limites desejados.

COMO MANTÊ-LA LONGE DA MAQUIAGEM:

1 Certifique-se de que você esteja dando muita atenção aos interesses, talentos, sucessos e energia pessoal de sua filha. Sua auto-estima deve ser baseada em sentimentos de amor de seus pais e na capacidade de ter sentimentos, não na aparência.

2 Elogie as tentativas mais apropriadas para ficar bonita ou parecer mais velha de acordo com a idade dela. Talvez esteja experimentando novos penteados, usando chapéus, bonés, elásticos de cabelo como cadarços e saindo por aí combinando meias com tops.. Essa é a idade em que você deve encorajar a criatividade e as tentativas de sua filha e guardar sua opinião sobre os resultados para si mesma. Se ela acha que está legal, esse é o único padrão necessário. Você só precisa fazer pé firme se ela insistir em usar roupas sofisticadas demais, manchadas ou excessivamente esfarrapadas para ir à escola ou sair com você (veja o Capítulo 15 – Roupas Erradas).

3 Se ela vier até você e perguntar sobre maquiagem ou se você descobrir que ela está usando maquiagem em público, pergunte por que está querendo se maquiar nessa idade. Você pode descobrir se ela sente a necessidade de se harmonizar, se acha que é jovem demais ou se, de alguma maneira, não gosta de sua aparência. Use estas dicas para ajudá-la a ouvir:

- Deixe que ela fale, não interrompa, não tente aconselhar. (Morda os lábios se você é do tipo que quer tomar as rédeas da conversa.)

- Não faça nenhum comentário (nem para animá-la), como: *"Mas, querida, você é tão bonita sem maquiagem!"*. Isso não é confortante, parece que você a está tratando como uma criança. E ela sabe que todos os pais acham seus filhos bonitos.
- Engula os risos quando ela disser que parece madura o suficiente para usar maquiagem. Evite qualquer impulso que a leve a usar o sarcasmo.
- Tenha cuidado para não ridicularizar suas colegas; se não puder resistir e tiver de dizer algo, expresse sua opinião gentilmente, dizendo que acha que aos onze anos de idade ela é um pouco jovem para usar maquiagem.
- Use a Técnica do Espelho (repetindo as idéias dela para que saiba que você consegue ver a situação de seu ponto de vista). Diga que você precisa conversar com o papai sobre o pedido e que dará uma resposta em 24 horas. A conversa poderia ser assim:

Ginny: Ok, mãe, antes de você dizer qualquer coisa, ouça meus motivos. Todas as minhas amigas estão usando batom. Os meus lábios precisam do batom porque estão rachados e feios. Eu posso comprar com meu dinheiro.

Mãe: (use a Técnica do Espelho) Deixe-me ver se entendi direito. Você quer usar batom porque acha que ajudará seus lábios rachados e está preparada para pagar por isso. Estou certa?

Ginny: É. Então posso?

Mãe: Usar batom.

Ginny: Ah, mãe... você não está ajudando!

Mãe: (use a Técnica do Espelho, depois dê uma Informação Importante) Certo, você quer que eu tome uma decisão. Mas, querida, na verdade, o batom resseca os lábios, não umedece. Manteiga de cacau é que serve para isso.

Ginny: Mãe, você não sabe de nada. Eu usei esse tipo de batom na casa da Tracy e funcionou bem.

Mãe: (ignore o insulto e continue) Bem, querida, pode ser verdade, mas antes de tomar a decisão eu preciso falar com seu pai.

Ginny: Não fale para o papai. Ele não quer nem que eu namore até que tenha vinte e cinco anos!

Mãe: (novamente, conferindo) Você quer usar batom e não quer que seu pai saiba?

Ginny: Eu usarei batom só na escola e no shopping. Por que ele precisaria saber?

Mãe: (continue com a Técnica do Espelho) Ginny, sei que você não gostaria de falar para seu pai, mas não posso tomar essa decisão sozinha. Ele é seu pai.

Ginny: Então, deixa que eu falo com ele.

Mãe: É uma boa idéia. Você fala com seu pai e, então, eu e ele conversaremos. Mas, Ginny, não quero que você tenha muita esperança. Não consigo imaginar que seu pai e eu concordemos com a idéia de você usar batom para ir à escola ou ao shopping até que esteja mais velha.

4 Fale com seu parceiro sobre a situação de sua filha e imponha sua política sobre maquiagem em público e em casa. Em uma Reunião de Família, compartilhe suas decisões com ela. Deixe que saiba quando e sob quais circunstâncias poderá usar brilho nos lábios, *blush* ou esmalte nas unhas... e que não terá de esperar para sempre. Você deve dizer algo assim:

> *Seu pai e eu achamos que você é jovem demais para usar maquiagem em público. Decidimos que pode usar esmalte claro para ir à escola. Depois da escola, quando estiver em casa, você poderá usar qualquer coisa que quiser. Achamos que quando estiver com catorze anos poderá usar brilho colorido nos lábios e aos dezesseis anos estará pronta para usar batom.*

5 Se ela aceitar sua decisão, agradeça.

"Sei que você está desapontada, querida, e fico feliz que aceite a nossa decisão."

COMO DIZER "NÃO" E NÃO VOLTAR ATRÁS:

1 Se ela não aceitar seu "não", mas demonstrar seus sentimentos de maneira direta e calma (o oposto de gritar e discutir), use a Técnica do Espelho para mostrar que você a ouve e quer entendê-la. A Técnica do Espelho ajuda a ter certeza de que você entendeu a mensagem. Não é preciso mudar de idéia, mas isso ajudará você a entender os sentimentos dela.

Exemplo:

Ginny: Pai, todo mundo da sexta série usa maquiagem!

Pai: Então, você quer usar maquiagem para ser igual a suas amigas, certo?

2 Se não aceitar seu "não", e recorrer à discussão, reclamação ou gritaria, diga a ela que será ignorada:

Pensamos seriamente sobre isso e esta é nossa decisão final. Não ouvirei sua gritaria.

Então, desvie sua atenção para algo ou alguém. Se ela começar um acesso de raiva, simplesmente diga: *"O assunto está encerrado!"*. Ache algo que você precisa fazer em outro cômodo e faça isso calmamente.

3 Se, apesar de todos os esforços para finalizar o assunto, ela continuar atormentando, dê uma Advertência de Conseqüência:

Se você continuar gritando comigo, não assistirá à televisão, não ouvirá rádio e não usará o telefone hoje à noite.

Cumpra a Conseqüência se ela não parar de gritar.

4 Apesar das discussões calorosas, esteja sempre pronta a elogiá-la quando discutir o problema calmamente, demonstrar sentimentos sem atormentar, apresentar idéias bem-elaboradas ou aceitar o "não" com boa vontade. Você deve dizer:

Estou feliz por discutirmos esse assunto calmamente.

Você está realmente me dando uma idéia clara da pressão que está sobre você.

Eu ficaria feliz em dar uma festa da maquiagem aqui, na sexta-feira à noite, com suas amigas mais próximas.

Estou feliz por ter aceitado a decisão de seu pai e minha, mesmo que pense que estamos sendo antiquados demais. Isso mostra maturidade.

23 Problemas com o Telefone

O PROBLEMA:

A filha de vocês descobriu o telefone. Ela sempre foi indiferente e, de repente, o telefone parece uma extensão permanente de sua orelha. Ela fica horas ao telefone e está descuidando dos trabalhos escolares, da família e das tarefas domésticas. Vocês querem sua filha e o telefone de volta.

REFLEXÃO:

Não pensei que precisaria incluir um capítulo sobre o uso do telefone. Minha filha fez onze anos e tinha mostrado um interesse mínimo por isso, fazendo ligações rápidas para combinar de brincar com as amigas. Planejei este livro para pais de crianças de dois a doze anos de idade e pensei comigo mesma: "A Miranda, aos onze anos, não demonstra interesse pelo uso do telefone; imagino que os assuntos do telefone comecem aos treze anos!".

Então, aos onze anos e cinco meses tudo mudou. Ela fez amizade com um menino e logo estava ao telefone toda noite. Preferia o telefone a qualquer outra coisa... TV, brincar fora de casa, usar o computador e mesmo sua atividade favorita, a leitura.

A princípio, achei um pouco engraçadinho. Então, descobri que pessoas amigas e familiares estavam "sem resposta" quando ligavam, porque minha filha ignorava os bipes que indicavam uma segunda chamada. Quando reclamei, ela disse que "não queria ser interrompida!".

Eu também descobri que em vez de poder usar o telefone quando quisesse, como tinha feito por toda a minha vida adulta, tinha de esperar. Tive de ouvir Miranda rir à toa, ouvir o amigo rir à toa, provocar e acompanhar o final de sua conversa... *"O quê? Eu não disse isso... Eu, não... O que você acha que eu disse... Eu, não... O que ela falou que eu disse... O que você disse... Você disse o quê?"* sem parar. Comecei a escrever o capítulo Problemas com o Telefone.

A filha pré-adolescente de vocês está indo rapidamente em direção ao período da vida em que está mais ocupada consigo mesma. Ela está começando a se separar de vocês para desenvolver sua própria identidade e procurar os colegas. Esse não é o momento em que estará sensível às necessidades da família, em que se sentirá feliz ao se sentar na sala e conversar com seus pais devotados se o telefone tocar e for para ela.

Então, os limites são necessários. O objetivo de vocês é manter o equilíbrio, portanto as necessidades de cada um quanto ao uso do telefone devem ser satisfeitas. É claro que ela pode usar, mas não abusar. O telefone é uma ótima maneira para sua filha se divertir com os amigos, é inofensivo, ela não está fora de casa, à noite, dentro de um carro com um motorista jovem ou sem supervisão em um shopping. E, também, ninguém nunca ficou grávida pelo telefone.

Vocês podem estar ou não prontos para dividir o telefone igualmente com ela (afinal, vocês pagam a maldita conta). Talvez queiram ter duas linhas ou talvez estejam prontos para instaurar o uso democrático do aparelho.

Independentemente da escolha, impor algumas regras quanto ao uso do telefone é a ordem do dia.

MANTENDO A SANIDADE EM UMA CASA COM UMA ÚNICA LINHA TELEFÔNICA:

1 Estabeleçam regras claras que respeitem as necessidades de cada um sobre o uso do telefone. Boas regras podem ser:

- Limitar a ligação em dez minutos se mais alguém precisar usar o telefone.
- Ser educado com todas as pessoas que ligarem, mesmo que seja para o irmão mais novo ou para a irmã mais velha.

- Ligações de negócios, interurbanos e emergências têm prioridade sobre todas as outras ligações.
- Pegar os recados, caso você atender ao telefone. Anote a informação e deixe-a onde você sabe que o membro da família a encontrará. (Para facilitar, coloque um bloco de notas e um lápis próximo de cada aparelho.)
- Decidir sobre o tempo total de uso do telefone em uma noite; por exemplo, trinta minutos.
- Se vocês tiverem "atendimento simultâneo", os usuários deverão atender a todas as outras chamadas (saber quem está ligando e avisar alguém da sua família) e largar o telefone em dez minutos.

2 Contratem o serviço de "atendimento simultâneo" para que toda a família tenha a oportunidade de receber as ligações ou saber que alguém gostaria de falar com vocês. Alguns pais odeiam quando suas próprias ligações são interrompidas pelos "bipes" de outras chamadas, mas pensem como é frustrante para as pessoas ouvirem por horas um sinal de ocupado.

(Não contem a seus filhos, mas vocês podem desativar o "atendimento simultâneo" quando for preciso. Antes de fazer uma ligação, simplesmente digitem o código de cancelamento da facilidade, que é fornecido pela companhia telefônica. Vocês não receberão outras chamadas durante aquela ligação. As pessoas que ligarem ouvirão um sinal de ocupado, então saberão que há alguém em casa. Quando vocês desligarem, é só digitar o código de programação do "atendimento simultâneo", que, automaticamente, é restabelecido.)

3 Evitem o serviço de "chamada a três". Se vocês acham que sua filha ficará muito ao telefone com apenas uma amiga, imaginem quanto duraria uma ligação com duas amigas!

4 Respeitem as conversas de sua filha. Elas são particulares. Vocês podem ficar tentados a escutar um pouco às escondidas, interrogá-la para saberem com quem está falando e assim por diante. Esta é uma boa oportunidade para vocês gerarem um modelo de comportamento respeitoso (como se sentiriam se ela fizesse isso com vocês?). Esta também é uma boa chance para nutrir a independência, algo necessário nesse momento.

5 Tentem não ficar nervosos por causa do conteúdo das conversas de seus filhos. Eles não estão sendo entrevistados para a faculdade, mas desenvolvendo uma complicada dança verbal imperativa que desafia a compreensão adulta. Para evitar desapontamentos, fiquem longe para não ouvirem.

6 Façam com sua filha o Acordo Quando/Então. Deixem claro a ela quando poderá usar o telefone: *"Depois que sua lição de casa estiver feita, as tarefas domésticas concluídas e os animais de estimação alimentados, você pode usar o telefone por meia hora!"*.

7 Especifiquem um período de tempo durante o qual sua filha pode fazer ou receber ligações, por exemplo, das sete às sete e meia da noite. Vocês, então, podem dizer a seus amigos e colegas para não perderem tempo ligando durante essa meia hora.

8 Se vocês têm um telefone sem fio, insistam para que o aparelho seja colocado de volta na base e que NÃO esteja no quarto deles embaixo de uma pilha de roupas. Vocês não querem ter de ficar caçando o telefone quando ele tocar.

COMO DIZER "NÃO" E NÃO VOLTAR ATRÁS:

1 Eu gosto desta regra: *"Se abusar, vai ficar sem!"*. O abuso do telefone pode incluir:

- falar ao telefone antes de a lição de casa estar feita;
- ignorar chamadas em espera;
- deixar o telefone onde ele não pode ser encontrado;
- usar o telefone depois da hora de dormir;
- não informar os membros da família sobre os recados que receberam;
- usar o telefone por mais de uma hora por dia;
- ignorar as tarefas domésticas por causa do telefone;
- ser rude com outras pessoas que não seus amigos;
- ligar para números 0900;
- fazer ligações interurbanas sem permissão;
- passar trotes.

A Conseqüência lógica para o abuso do telefone é: *"Você não pode usar o telefone pelo resto do dia!"*. Se a quebra de regras ocorrer à noite: *"Você não pode usar o telefone por 24 horas!"*. Se o problema continuar, restrinjam o uso aos finais de semana.

Se a quebra de regras for deixar o telefone jogado dentro do quarto (ou debaixo da cama, atrás da cadeira, no banheiro, ao lado da TV, debaixo de uma pilha de roupas), uma boa Conseqüência é anunciar a nova regra: *"Não levar o telefone para longe da base!"*.

2 Façam uma Reunião de Família para direcionar os problemas do uso do telefone. Usem este formato:

- Relatem o problema: *"Temos um problema grave quanto ao telefone. Para começar, o telefone toca durante o jantar e alguém desaparece pelo resto da refeição. Eu não estou recebendo mensagens e a Amy disse que vocês, crianças, são rudes com os amigos dela. O papai tenta ligar para casa às seis e meia e não consegue falar!"*.
- Digam como vocês se sentem sobre o problema: *"Estamos cansados por causa do mau uso do telefone e queremos jogá-lo fora!"*.
- Primeiras soluções: *"Estamos abertos a sugestões de como podemos respeitar as necessidades de todos. Alguma idéia?"*.
- Selecionem um plano com o qual todos concordem para experimentar por uma semana (se sua filha ficar aborrecida ou não tiver nada para acrescentar, dêem algumas idéias que vocês acham funcionais). Para essa família, o plano deve ser:
    1. Nenhuma ligação durante as refeições; usem uma secretária eletrônica, ignorem a campainha ou façam com que alguém da família pegue as mensagens para todos os demais.
    2. Estejam fora do telefone meia hora antes e meia hora depois do horário que normalmente o pai costuma ligar.
    3. Pratiquem com as crianças pequenas como falar educadamente com os amigos da irmã mais velha e ofereçam uma pequena recompensa por modos excelentes ao telefone.

4. Coloquem um bloco de notas próximo a cada aparelho; seja quem for que se esquecer de escrever ou dar a mensagem será multado em cinqüenta centavos.

- Façam uma outra Reunião de Família para ver como o plano está funcionando.
- Decidam se será mantido ou se precisa de algum ajuste para funcionar melhor.

3 Se estiverem muito cansados de finais infelizes nas negociações quanto ao telefone, vocês podem pensar em dar a seus filhos sua própria linha, que eles alugam de vocês fazendo tarefas domésticas ou usando a mesada. O uso do telefone (Graças a Deus existem as travas de telefones!) pode ser cortado se eles não pagarem o aluguel ou se abusarem de qualquer maneira.

Não tenho certeza de como me sinto a respeito de telefone para as crianças, e não fui tentada a pensar nisso ainda, mas acho que deve ser um ato necessário de autodefesa, especialmente para pessoas que trabalham fora de casa ou têm mais de um filho que seja usuário assíduo da linha.

Entretanto, não comprem um telefone para uma criança logo depois de problemas de comportamento relacionado a seu uso, porque isso seria recompensar um abuso. A próxima coisa que chegará a seus ouvidos é ela dizendo aos amigos algo como: *"Deixe seus pais loucos usando o telefone o tempo todo e eles darão uma linha só para você!"*. Primeiro, trabalhem com os modos ao telefone e, depois, analisem se as crianças podem ganhar sua própria linha telefônica.

Se vocês seguirem esse caminho, tenham em mente: "Isto é um presente, não um direito adquirido!".

24
Orelhas Furadas
(ou Outras Coisas)

O PROBLEMA:

Sua filha (ou seu filho) quer furar as orelhas – ou, Deus me perdoe, alguma outra parte do corpo. Você quer que ela (ou ele) espere.

REFLEXÃO:

Em muitas culturas, as orelhas das meninas são furadas quando nascem, porque o valor da tradição é mais importante que a preocupação da dor momentânea para o bebê. Muitos de nós, que escolhemos não fazer isso com nossas filhas, provavelmente enfrentaremos esse assunto mais tarde. Realmente não sinto que exista uma idade certa ou errada para que as meninas (ou meninos) furem suas orelhas, mas sei que os piercings trazem muitas preocupações e esta é uma decisão que envolve a criança e seus pais.

Quando sua filha fura as orelhas é realmente uma questão de valores pessoais. Brincos são decisões tão permanentes, tão irreversíveis que alguns pais preferem que sua filha já esteja bem avançada na adolescência, com idade suficiente para decidir e estar certa de que ela não se arrependerá disso ou não se incomodará com a dor momentânea do procedimento.

Uma preocupação dos pais é que brincos podem sinalizar o surgimento da sexualidade da filha ou provocar questões de masculinidade no filho. Já vi brincos enormes e pendurados nas amigas de minha filha da sexta série e um menino de dez anos no acampamento com uma argola minúscula na orelha. Não pude deixar de pensar: "Nossa, ele tem pais flexíveis!". Imagino que muitos pais estão muito desconfortáveis com ambos os estilos.

Talvez você não saiba o que a incomoda nas orelhas furadas. Você pode pensar que isso é um gasto desnecessário (é preciso usar brincos de boa qualidade para facilitar a cicatrização). Pode ficar preocupada se ela vai cuidar direito das orelhas e não deixar infeccionar. (A criança e os pais precisam se lembrar de limpar as orelhas furadas toda noite com álcool durante várias semanas e alternar os brincos até que os furos cicatrizem.)

Furar as orelhas é um tanto dolorido e isso pode ser um impedimento. Os pais querem evitar a cena desagradável de ver sua filha furando uma orelha e se recusando a furar a outra.

Ultimamente, não é apenas um problema de dois pequenos buracos. As meninas estão fazendo muitos furos em seus lóbulos. Algumas estão furando seus narizes. Os meninos furam uma ou duas orelhas. Ambos, homens e mulheres, estão furando outros lugares que não me atreverei a mencionar (vi uma adolescente que tinha um piercing no meio da língua!). Esperamos que essas perfurações mais incomuns não sejam objetos de desejo de nossos filhos até a adolescência ou mais tarde.

Uma vantagem de furar as orelhas é que brincos ajudam a distinguir jovens meninas de cabelos curtos de jovens meninos com cortes de cabelo parecidos. O pequeno ego de uma criança de dez anos de idade foi poupado de maiores danos, estou convencida, porque sua mãe foi sensível a suas necessidades. A menina cortou os cabelos curtos, mas vinha sendo cruelmente hostilizada por alguns colegas de classe. Uma ida rápida à joalheria e Nicki estava exibindo um minúsculo brinco de ouro. As provocações acabaram. (Mais tarde, contudo, a família teve de levar Nicki à sala de emergência por causa de uma infecção, e ela está temporariamente impossibilitada de usar brincos!)

Você pode perceber que as orelhas furadas pareciam ser um problema maior do que são na realidade. Um amigo meu, que é pai solteiro, foi inflexível ao impedir que sua filha fosse "mutilada" quando estava com cinco anos. Depois que cedeu às argumentações dela, um ano mais tarde, ele não sabia dizer por que tinha sido tão contra; não parecia um grande problema. Uma vez que esteja pronta, acho que estará segura de sua escolha, especialmente se sua filha usar brincos apropriados à idade, tais como brinquinhos ou pequenas argolas. Se sua filha escolher brincos que fazem com que pareça extravagante demais, trata-se de uma aparência madura demais para exibir em público, que não combina com ela.

MANTENDO AS ORELHAS INTACTAS:

1 Se depois de pensar sobre todas essas questões e discuti-las com seu marido, você decidir que não está pronta para que sua filha fure as orelhas, tente marcar uma data possível no futuro, tal como seu aniversário de treze, quinze ou mesmo de dezoito anos. Sempre pensei que furar as orelhas é um ótimo presente para celebrar uma importante passagem da vida, tal como a formatura do ensino fundamental e do ensino médio, ou quando entrar na adolescência.

2 Não vejo problema nenhum em fazer o papel de Bicho-papão. Às vezes, nós apenas temos de 'agir assim':

> *Sei que você está morrendo de vontade de furar as orelhas e que a Katie já furou as dela e ela só tem dez anos, mas não me sinto bem com isso. Você pode furar suas orelhas quando estiver no ensino médio.*

3 Claro que é preciso fazer pé firme, mas tente ser compreensiva. Ouça os argumentos, simpatize com seus sentimentos usando a Técnica do Espelho.

Kit: Mas, mãe, você está tão fora de moda.

Mãe: Você acha que sou antiquada?

Kit: Com certeza. Até mesmo bebês têm orelhas furadas.

Mãe: Sim, alguns pais furam as orelhas de seus bebês.

Kit: Queria que você tivesse furado as minhas quando eu era um bebê.

Mãe: Talvez tivesse sido melhor, mas não queríamos fazer nada que machucasse você. Imaginamos que o nascimento já era traumático o suficiente!

Kit: Pelo menos eu teria as orelhas furadas.

Mãe: É verdade, você as teria.

Kit: Mãe, sou a única menina da classe que não tem as orelhas furadas.

Mãe: Verdade, querida? A única?

Kit: Bem, quase.

Mãe: Não é de surpreender que você se sinta tão infeliz.

Kit: Então, posso furar? Por favor?

Mãe: Querida, seu pai e eu já conversamos sobre isso e nossa decisão é que você espere até que esteja com treze anos. Sei que você vai ficar brava, mas temos de fazer o que achamos certo.

Nesse exemplo a mãe está mais interessada em ouvir as dores e as frustrações da filha do que ganhar em quaisquer dos pontos da discussão. Perceba que ela não discute com a filha, dizendo: *"Eu sei que tem muitas meninas que ainda não têm as orelhas furadas!"*. A Kit precisa ser ouvida e não confrontada.

4 Se sua filha estiver pedindo para furar as orelhas para ir a um aniversário ou outra ocasião que seria especial para ela, considere dar uma outra jóia para comemorar essa ocasião, tal como um colar ou um charmoso bracelete.

COMO DIZER "NÃO" E NÃO VOLTAR ATRÁS:

1 Se sua filha continuar a discutir, você pode continuar a simpatizar com seus sentimentos, mas deve se manter firme. Conforme Kit tenta insistir, a Mãe ignorará e resistirá a uma discussão.

Kit: Mãe, você está sendo tão injusta.

Mãe: Imagino como você se sente, querida.

Kit: Toda criança que conheço, quero dizer toda garota e metade dos meninos têm orelhas furadas.

Mãe: Então, sou a única mãe que não permite isso?

Kit: Certo, a única que está sendo idiota.

Mãe: Tenho certeza de que é assim que parece.

Kit: Eu mesma irei furar com uma agulha.

Mãe: Não posso impedir que você faça isso, mas preciso lhe contar que, quando eu estava na faculdade, algumas meninas furaram as orelhas com uma agulha, gelo e uma batata. Foi dolorido, sangrento e os furos não ficaram exatamente onde queriam. Alguns infeccionaram. Espero que você não precise chegar a esse ponto.

Kit: É nojento, mãe.

Mãe: Sim, foi nojento.

Kit: Mas o que posso fazer? Você está dizendo "não" sem motivo.

Mãe: Talvez, para você, pareça sem razão, Kit. Eu apenas acho que você é jovem demais para fazer furos em seu corpo e jovem demais para usar brincos.

Kit: Você tem furos em seu corpo.

Mãe: Sim, mas com furos ou sem furos, eu me decidi. Desculpe se isso a faz infeliz.

Kit está sendo desagradável com sua mãe. Você nota que a mãe não fica na defensiva e permite que a filha fale um pouco. A mãe sabiamente ignora as tentativas de tirá-la do sério e isso funciona como controle de danos.

2 Se sua filha começar a gritar, chorar, fazer uma cena, jogar coisas à sua volta ou abusar da linguagem, você pode calmamente deixar o quarto. Se você preferir, diga algo como: *"Conversaremos quando você estiver mais calma!"* ou *"Este é o fim da conversa!"*. Se você preferir ficar no quarto, tudo bem. Pegue uma revista ou um livro. Ligue a TV ou pegue o telefone. Entretanto, não dê atenção ao barulho e à fúria.

Isso pode não ser fácil. Você pode estar com medo da explosão de raiva dela. Acredite em mim, sua melhor defesa é ficar calma e serena.

3 Se sua filha ameaçar quebrar alguma coisa ou fazer qualquer outro estrago, dê uma Advertência de Conseqüência e aplique a Conseqüência se ela merecer.

Kit, se você quebrar a porta fechando-a com violência, você pagará por isso com sua mesada.

Lembre-se destes elementos para uma Conseqüência efetiva:

- tem de haver um significado para seu filho;
- você deve ter controle sobre isso;
- precisa estar disposta a aplicá-la;
- deve ser mínima.

É bom quando a pena está relacionada com o crime, como fez a mãe de Kit, escolhendo uma Conseqüência que combina perfeitamente com a atitude de bater a porta.

Você também quer uma Conseqüência que possa ser imposta imediatamente. A Conseqüência seria mais efetiva se isso tivesse acontecido no Dia da Mesada ou se Kit guardasse suas economias no quarto em vez de em um banco e sua mãe pudesse pegá-las imediatamente.

4 Se sua filha for ao shopping com uma amiga e voltar exibindo um metal na orelha, você deve aplicar uma Conseqüência por ter ido contra sua decisão. Pode se difícil pensar em uma Conseqüência. Talvez não deixá-la ir ao shopping com os amigos por uma semana seja uma boa ou, então, peça sugestões a ela:

> *Sentimos que você precisa de uma Conseqüência por ter ido contra nossa decisão. Gostaríamos que você pensasse sobre isso e sugerisse algo. Se não o fizer, nós faremos.*

As crianças apresentam Conseqüências novas, justas e apropriadas para seus atos. O problema é que são freqüentemente duros demais consigo mesmos.

25
Sozinho em Casa com os Amigos

O PROBLEMA:

Seu filho implora para receber amigos em casa ou brincar na casa de um amigo sem supervisão dos pais. Você quer que ele entenda que ficar em casa sozinho com os amigos não é necessariamente seguro e você precisa dizer "não."

REFLEXÃO:

É claro que algumas crianças com onze anos de idade são capazes de ficar sozinhas por curtos períodos de tempo, se estão fisicamente seguras (sabem o que fazer em qualquer emergência e há vizinhos "em alerta") e se sentem emocionalmente seguras (não têm medo de estarem sozinhas). Se seu filho tiver menos de onze anos, não é aconselhável que fique sozinho em casa. Em muitos lugares, o Serviço Social pode investigar se receber denúncias de que uma criança de dez anos ou menos está sozinha em casa por qualquer período de tempo.

Ao educar meus filhos percebi que freqüentemente eles querem ficar na casa dos amigos enquanto os pais estão fora ou querem que os amigos fiquem com eles em casa quando estou fora. Mesmo que já permita que seu filho fique em casa sozinho por curtos períodos de tempo, digamos vinte minutos, enquanto você corre para comprar um litro de leite, não aconselharia deixar uma criança sozinha com os amigos sem supervisão.

Quando as crianças estão engatinhando, nós pais ficamos muito preocupados com o fato de ela estar investigando o ambiente da casa, o quarto da babá e a casa dos amigos e dos parentes. Vamos estender esta idéia para a criança mais velha neste momento. E se a brincadeira sem supervisão fosse realizada em sua casa? Você pode garantir que seu filho e os amigos não mexeriam em coisas que não deveriam, tais como fósforos, cigarros, álcool, produtos químicos de limpeza? Algumas crianças gostam de fazer experiências na cozinha, querem experimentar maquiagem e esmalte para unhas ou se engajam em outras atividades que exigem sua supervisão. Mesmo que seu filho não pensasse em fazer essas coisas, ele poderia ser facilmente influenciado por alguém? Você tem certeza de que ele mesmo teria consciência e diria: *"Espera aí, nós não podemos fazer isso... meu pai e minha mãe me matariam!"*.

Se a preocupação for brincar na casa de outra criança, até onde você conhece os pais desse amigo? Você conhece seus hábitos? Suas regras? Essas regras são levadas a sério? Você sabe se há um revólver na casa? E se estiver carregado? E se o amigo de seu filho souber onde o revólver está guardado ou achá-lo por acidente? E se houver outros materiais para adultos: vídeos, revistas e assim por diante, coisas a que você não quer que seu filho esteja exposto?

Mesmo que os cuidados com a segurança não sejam uma preocupação, um adulto por perto geralmente fornece um senso de proteção e conforto de que a maioria das crianças até gosta, embora possa não admitir. Naturalmente, com crianças mais velhas, esse conforto já está estabelecido, mesmo que os adultos se mantenham fora de vista (o que eles preferem).

Quando se trata de deixar as crianças desacompanhadas você, pode ser um pouco meticuloso, deve ser cauteloso e superprotetor. Seu filho pode ser bem maduro e digno de confiança, mas você não pode se precaver de todo perigo em potencial. Você não tem de ser invasivo e autoritário, mas precisa ter certeza de que seus filhos estão bem.

EM CASA SOZINHO – NÃO!!!!:

1 Conforme os filhos crescem, vão exigindo cada vez mais independência, oportunidades para explorar e para desenvolver responsabilidades. Se a vizinhança for segura, uma criança de quatro anos pode ir andando para a casa de um vizinho (do mesmo lado da rua em áreas movimentadas). Uma criança de sete ou oito anos sente uma maravilhosa liberdade ao andar um quarteirão ou dois para fazer uma visita. Se o bairro for seguro, ir andando para a escola pode ser ideal aos dez anos.

Mas é preciso diferenciar entre as experiências que propiciam liberdade e as que podem expor a criança ao perigo. Se durante o crescimento dele você explicar suas razões ao permitir certos privilégios e negar outros, tentando ser justo e realista, seu filho saberá que você traz as melhores intenções no coração. Entretanto, talvez ele não fique feliz com suas restrições.

2 Use as experiências de pais que você respeita para dar suporte a suas escolhas, especialmente se você tende a ser restritivo ou permissivo demais. Descubra como os filhos deles lidam com os privilégios; pergunte o que tem funcionado na casa deles. As experiências dos outros podem dar a você melhor discernimento para estabelecer regras familiares.

3 A maturidade de seu filho pode ser uma medida mais precisa do que sua idade em determinados momentos. A criança que é cautelosa por natureza lida com a liberdade de maneira mais ponderada do que a criança impulsiva.

4 Estabeleça sua regra para deixar seu filho ficar "Sozinho em casa" em uma conversa familiar quando este não for um assunto imediato. Para que ele leve a sério, talvez você precise aproveitar uma notícia na TV ou no jornal sobre um desastre doméstico, como um incêndio ou um tiro acidental que ocorreu quando as crianças estavam desacompanhadas.

Certifique-se de que seu filho entendeu as regras claramente: *"Se os pais do Andrew não estiverem em casa, você não pode brincar lá. Venha para casa!"* ou *"Você precisa me ligar da casa do Andrew se os pais dele precisarem sair!"*.

5 Não seja responsável por violar a regra de ficar sozinho em casa, não importa o quanto isso possa ser tentador. Você tem uma casa cheia de crianças responsáveis de oito e nove anos de idade e descobre que está sem leite. Você pode pensar: que perigo poderia haver em deixá-los sozinhos e correr até a loja de conveniência da esquina? O risco pode ser mínimo, mas seu filho se lembrará de que você quebrou as regras. *"Mas, pai! Você deixou a gente sozinho quando acabou o leite, lembra? Não aconteceu nada, né?"* É difícil argumentar com essa lógica.

6 Comece a ter precaução extra quando seu filho ligar para um amigo se convidando para ir à casa dele e, em seguida, correr para a porta, gritando: *"Vou para a casa do David!"*. Pare seu pequeno garoto e descubra exatamente quais são seus planos. Quanto tempo ficará lá, quem estará lá, quem não estará lá e assim por diante. Se a expectativa de seu filho é ficar com um amigo e os pais desse amigo não estiverem lá, explique por que isso é inseguro e perigoso e que sua resposta é "não."

Não vai doer pedir que seu filho ligue quando chegar na casa do amigo e deixe você falar com um dos pais e mostrar suas expectativas; se os pais forem sair eles precisam mandar seu filho para casa.

7 É difícil cobrir todas as áreas conforme seu filho vai se tornando mais independente e você passa a ter menos controle. Meu filho Kyle agora sabe me dizer: *"Estou indo para a casa do Jack. Se a mãe dele não estiver lá, voltarei!"* ou *"Se eu for para a casa do David, telefono de lá!"*. E liga mesmo, mas foram necessárias muitas tentativas e erros para estabelecer esses padrões.

COMO DIZER "NÃO" E NÃO VOLTAR ATRÁS:

1 Quando seu filho pedir para brincar sozinho com um amigo, recorde com ele as regras e avise-o sobre suas opções. Você pode dizer: *"Convide o Henrique para vir em casa agora e vocês dois poderão voltar para a casa dele mais tarde, quando os pais dele chegarem!"*.

2 Se ele continuar insistindo para ficar em casa sozinho com um amigo ou para que você deixe que ele vá à casa de um amigo quando os pais não estiverem lá, mantenha-se firme usando a Técnica do Disco Riscado. Selecione uma frase curta: *"A resposta é não!"* ou *"O assunto está encerrado!"* e repita isso em resposta a todos os argumentos.

Tim: Por que não posso brincar na casa do Henrique sem a mãe dele em casa?

Mãe: Tim, já expliquei isso muitas vezes. Agora o assunto está encerrado.

Tim: Você não confia em crianças.

Mãe: O assunto está encerrado.

Tim: Mãe, você não está sendo justa.

Mãe: O assunto está encerrado.

Tim: Por que você me trata como um bebê?

Mãe: O assunto está encerrado.

3 Uma vez que este é um assunto de segurança e poucas são as informações que mudarão sua decisão, simplesmente ignore argumentos, exageros e explosões de raiva depois que tiver delimitado de maneira clara as razões para sua regra.

4 Se os protestos se tornarem longos e altos demais, ou por qualquer razão intoleráveis, use uma Advertência de Conseqüência. Estabeleça contato visual com seu filho, dê sua Advertência de maneira calma e firme, e esteja pronto para não voltar atrás:

> *Se você chutar a mesa mais uma vez, não poderá chamar o Henrique pela próxima meia hora.*

5 Naturalmente, se ele chutar os móveis, você deve aplicar a Conseqüência. *"Ok, Tim, nenhum amigo aqui até as dez e meia!"*. Se houver outra explosão de raiva: *"Pare de gritar ou aumentarei para as onze horas!"*. E deverá fazê-lo se assim for preciso. (Dê a ele meio minuto ou um pouco mais para que se controle.)

Lembre-se: quando seu filho voltar ao normal, esteja pronto para seguir em frente e responder positivamente seus comportamentos positivos.

6 Se seu filho escapar para a casa de um amigo quando os pais não estiverem lá, ele deverá receber uma Conseqüência. Por exemplo, não ver aquele determinado amigo pelo resto do dia ou não brincar longe de casa no dia seguinte.

26
Namoro

O PROBLEMA:

Sua filha quer namorar (tradução: sair à noite com alguém do sexo oposto sem supervisão adulta). Você não quer acreditar nisso e preferiria não ter de lidar com isso nunca.

REFLEXÃO:

Se para você tudo isso parece um grande absurdo, está na hora de pensar um pouco melhor no assunto. Como assistente social, conheci mães adolescentes de apenas onze ou doze anos e pais adolescentes não muito mais velhos. As crianças estão crescendo em ritmo acelerado nos dias de hoje. E, embora algumas crianças estejam amadurecendo fisicamente mais cedo do que seus pais e avós, a maturidade física não traz a maturidade emocional. Dez, onze e doze anos de idade não são dezesseis, dezessete e dezoito anos. Eles ainda necessitam de seus pais para reduzir a pressão de se tornarem adultos com uma mensagem clara, do tipo: *"Namorar aos doze anos de idade está fora de questão. Você pode namorar quando tiver dezoito anos!"*.

Perdoe-me se levo a crer que para as crianças de dez, onze e doze anos o assunto "namoro" se aplica principalmente às meninas. As meninas amadurecem mais rápido, podem ser confundidas com meninas de catorze, quinze e dezesseis anos por meninos mais velhos e logo se sentem tentadas a namorar. Certamente, se seu filho estiver pressionando para que você permita que ele namore as meninas da idade dele ou mais velhas, use as instruções apresentadas aqui para impor limites apropriados.

Nem todas as situações que envolvem meninos e meninas são situações de pânico. Eventos com acompanhantes como bailes, piqueniques, festivais de filmes, eventos esportivos ou o que estiver sendo patrocinado pela escola, comunidade, cidade, igreja, templo, grupo social ou político são excelentes possibilidades para o "primeiro encontro", que deve ser apropriado para estudantes da sexta ou sétima série do ensino médio. Passeios com a família de um amigo do sexo oposto – jogar boliche, assistir a um filme, andar de skate ou jogar minigolfe – podem dar a sua filha a sensação de independência e a excitação de estar com alguém de que gosta muito. Essas podem ser experiências valiosas para ajudar sua filha a trilhar o difícil e complicado caminho social em direção às relações adultas.

Não pense que o relacionamento com alguém do sexo oposto será romântico ou sexual. Meninas e meninos com menos de treze anos são capazes de (e na verdade preferem) ter amizades sem cunho sexual ou coisa do gênero. Tais amizades podem ser importantes para ajudar sua filha a entender o funcionamento do sexo oposto (nem sempre é uma tarefa fácil!). O temperamento, os valores, os interesses e os níveis de autoconsciência, auto-estima e responsabilidade de sua filha ajudarão a determinar a quantidade de supervisão necessária.

Conforme sua filha se aproxime da adolescência, seu desafio número um será manter a comunicação aberta, mas ela não vai querer você "em cima", portanto é preciso dar espaço. Ao mesmo tempo, é preciso criar uma atmosfera na qual será fácil para ela conversar com você. Quanto mais conversarem, mais você será capaz de entender os sinais de perigo de relacionamentos inseguros em potencial.

Você precisa decidir quais mensagens quer passar seus filhos e as regras que espera que eles sigam. Para fazer isso, os pais devem ter uma boa comunicação entre si. Pode não ser tão fácil. Pai, você está preparado para enfrentar que sua menininha está começando a amadurecer, usando um sutiã na quinta série, talvez comece a receber telefonemas de meninos e pode ficar menstruada a qualquer momento? E você, mãe, em breve terá um menino pré-adolescente em casa. Como você o ajudará a lidar com as mudanças físicas e emocionais? Mudança de voz, transpiração corporal e tudo o mais? Como você quer que ele trate as mulheres jovens? Da maneira com que foi tratada por homens jovens? Sei que eles ainda não são adolescentes, mas não vacile, pois tudo acontece muito rápido.

Então, conversem e esclareçam seus valores. Quando você quer que seu filho namore? Qual é sua posição em relação às festas sem supervisão? Como quer que seu filho trate os outros ou como quer que ele seja tratado? Quais são os valores que gostaria de passar a seus filhos e as condições nas quais gostaria que se tornassem sexualmente ativos.

Comece a conversar com seus filhos. Sem seu direcionamento, eles farão isso por conta própria ou seguirão os passos dos amigos. Com a sua ajuda talvez eles aprendam alguns de seus valores.

COMO ADIAR O INTERESSE PELO NAMORO:

1 Não pergunte a seus filhos pequenos se têm namorado ou namorada. Isso pode fazer com que pensem que precisam de um.

2 Imponha limites em relação à TV e aos filmes. Provavelmente não quer que Hollywood influencie seus filhos mais do que você já foi influenciado.

3 Exponha sua filha a uma variedade de atividades. Por volta dos nove e dez anos de idade as meninas começam a se interessar por rock, maquiagem, jóias, roupas mais sofisticadas e qualquer coisa ligada à vida de adolescente. Certifique-se de que haja um tempo igual para outras diversões: música, arte, teatro, skate, bicicleta, vôlei, tênis, livros, culinária, ciência etc. Introduza alguns desses interesses se ela ainda não os conhecer.

4 Ensine-os a respeitar os sentimentos e os corpos dos outros. Corrija atitudes ou comportamentos desrespeitosos. Seus valores substituirão aqueles que eles aprendem na escola ou no parque. No verão em que meu filho Kyle tinha sete anos, ele foi passar um dia em um acampamento. Ele estava praticando uma rima que muitos meninos fizeram juntos. O pai do Kyle ouviu e disse: *"Sabe, Kyle, provavelmente vocês não tinham essa intenção, mas essas palavras ridicularizam os corpos das meninas e isso poderia ferir os sentimentos delas ou fazer com que elas ficassem bravas!"*. Alguns dias depois, Kyle ainda estava ensaiando, mas as palavras eram diferentes. *"Decidimos que a outra rima era machista, então estamos fazendo uma outra!"*, explicou. Ele entendeu as palavras do pai, falou para os amigos no acampamento e eles concordaram com a mudança. Corrigir atitudes desrespeitosas pode ajudar seu filho e os outros.

5 Faça com que seus valores fiquem claros para sua filha. Tudo bem ser honesto. Por exemplo, em relação a namorados, você deve dizer: *"Embora não possa impedi-la de gostar de alguém, preferiria que você não tivesse um namorado sério até que estivesse no ensino médio ou que fosse mais velha!"*. Eu evitaria aborrecimentos ou sermões freqüentes.

6 Permita festas com supervisão adulta. Dê às crianças livre escolha quanto a comida, música, e amigos a serem convidados (somente crianças da mesma idade) e alguma flexibilidade no horário. Não vigie, mas esteja lá. Dê instruções claras a sua filha. Diga para avisar caso algumas dessas coisas ocorram: crianças usando os quartos, desligando as luzes, desaparecendo em pares, usando drogas ou quaisquer outras coisas como cigarros, álcool ou vídeos proibidos.

7 Apresente novos privilégios a cada ano, de maneira que ela não atravesse os limites dos oito anos direto para os limites dos dezesseis anos sem dar oportunidades para aprender como lidar com a responsabilidade. Ir para a cama mais tarde, organizar ela mesma o horário da lição de casa, estudar sozinha na biblioteca, ficar pequenos períodos sem uma acompanhante, eventualmente (quando ela estiver confiante) ficar sozinha por uma noite e usar o transporte público são bons passos em direção à independência.

8 Continue conversando com sua filha. Encontre um horário regular em que possam conversar. A hora de dormir é um ótimo momento para uma conversa calma e relaxada. Não indague, apenas esteja disponível. Se for difícil para você, pai, conversar com sua filha ou seu filho, talvez sua esposa se sinta mais confortável com isso. Na verdade, não acho que importa quem converse (o importante é ouvir), basta apenas que a conversa aconteça.

9 Conheça os amigos de sua filha. Você pode achar mais difícil quando ela fica mais velha e conhece crianças de outros quarteirões ou fora de seu círculo de amigos. Quando sua filha é pequena, você pode visitar a sala de aula dela de vez em quando, mas na quinta ou sexta série os pais geralmente não são bem-vindos. Se você leva sua filha para a escola ou vai buscá-la, aproveite para trocar breves "ois" com as crianças com quem ela está se relacionando. Diga a ela para convidar um, dois ou mesmo um pequeno grupo para a festa da pizza na sexta-feira à noite. Encontre-se com os pais dos amigos de sua filha nos eventos escolares e em recepções. Não é preciso desenvolver uma amizade, basta se tornar conhecido. Seu filho ou sua filha estão freqüentando a casa deles e você quer saber quem são.

10 Ensine sobre sexo e saúde desde cedo. Há ótimos livros sobre o corpo e todas as suas partes e seus funcionamentos. Seja sincero e aberto ao responder às perguntas. Adeqüe suas respostas; você não quer deixar seus filhos sem graça, portanto, sinta-se à vontade para conversar sobre maturidade, sexualidade, namoro e como será a adolescência. Lynda Maderas tem uma série maravilhosa de livros, incluindo o livro *Garotas – O que está acontecendo com o meu corpo* (e um similar para os garotos). Aproveite esse momento maravilhoso em sua vida, quando seu filho quiser dizer como ele se sente.

11 Acredite em sua filha, a menos que tenha uma boa razão para o contrário. Não imagine, sem uma evidência real, que sua filha está quebrando as regras ou tem a intenção de ter uma vida de sexo, drogas e rock'n'roll. Não seja rápido demais a ponto de ameaçar mandá-la para o convento ou seu menino para uma escola militar no primeiro telefonema de alguém do sexo oposto. Talvez acabe se tornando responsável por levar seus filhos a comportamentos não tão bons.

Conheci muitos jovens adolescentes cujos pais eram tão desconfiados e acusatórios sobre o comportamento de seus filhos que eles pararam de confiar a seus pais informações sobre suas vidas. As crianças, inocentes para começo de conversa, começam a experimentar aqueles comportamentos dos quais os pais desconfiam, e se tornam furtivas e evasivas, desenvolvendo a atitude: *"Bem, como fui acusado disso, acho que devo fazê-lo!"*. O interessante é saber que muitos desses pais foram adolescentes fora de controle e não esperavam nada melhor de seus filhos. Não posso explicar adequadamente para você o sentimento de desesperança que essas jovens crianças sentem quando seus pais não acreditam que sejam "bons filhos".

Recentemente, uma criança de doze anos de idade me disse: *"Eu me abro com minha mãe e ela usa isso contra mim. Se estivermos andando de carro, nem mesmo posso olhar para os meninos que passam, porque ela diz: 'É melhor você nem pensar em ficar com alguém como aquele!' Eu nem posso olhar para os garotos!"*.

Forneça expectativas claras e razoáveis e, então, confie em sua filha e no bom senso dela. Se sua filha começar a apresentar comportamentos que o preocupem, procure um terapeuta especialista em crianças e adolescentes para que ele o ajude a colocar os comportamentos no contexto da idade e do desenvolvimento. Isso o ajudará a entender o limiar entre exagerar ou não na relação.

COMO DIZER "NÃO" E NÃO VOLTAR ATRÁS:

1 Procure entender claramente o que sua filha quer dizer com a pergunta: *"Posso sair com um garoto?"*. Ela possivelmente quer dizer que vai a um evento acompanhada? Talvez nem passe pela cabeça dela ir a um *drive-in* com um garoto de dezesseis anos de idade no momento. Talvez esteja pensando em ir com um pequeno grupo a um fliperama, ao shopping para assistir a um filme ou encontrar um amigo em uma sorveteria. Talvez queira ir a um parque de diversões com um amigo, a irmã mais velha dele e o namorado dela ou até mesmo (sim!) estudar com um amigo na biblioteca. Antes de entrar em pânico, veja o que ela tem em mente.

2 Se um amigo a convidar, descubra como sua filha se sente sobre isso. Muitas crianças se sentiriam desconfortáveis com uma oferta muito adulta e ficariam extremamente aliviadas ao ouvir: *"De jeito nenhum!"*. Antes que você suba pelas paredes, diga: *"Eu queria saber como você se sente sobre isso. Quando tinha sua idade me sentia um pouco desconfortável!"*. Isso pode ajudar sua filha a expressar seus verdadeiros sentimentos.

3 Quando sua filha for convidada para algo, ligue para os pais do amigo dela. Procure saber se um adulto estará presente e se a situação vai estar de acordo com seus padrões de segurança. Se sua filha reclamar, simplesmente, diga: *"Querida, não estou fazendo isso para envergonhá-la, mas porque é meu dever mantê-la segura!"*. Se ela explodir de raiva, diga, calmamente: *"Para que você possa ir com a família do Jack é preciso que eu converse com os pais dele!"*. Se ela não deixar que você ligue, pode proibi-la de ir.

4 Pense positivamente. Decida quando você pode falar "sim". Pode haver muitas escolhas para sua filha. Guarde seu "não" para quando ela perguntar: *"Posso sair sozinha com um menino?"*.

5 Não dê sermões, pois as crianças odeiam levar sermão. Deixe claro que esta é a única decisão que você pode tomar como pai responsável e, então, dispense o sermão.

6 Se depois de se acalmar ela quiser conversar com você de maneira tranqüila, ótimo. Ouça os argumentos e tente entender o ponto de vista dela. Sustente sua decisão, a menos que descubra que a definição dela de encontro envolve sair junto com os pais. Deixe claro aquilo que permitirá que ela faça: *"Embora você não possa ir ao shopping sozinha com ele, pode convidá-lo para vir à nossa casa comer pizza e assistir um vídeo!"*.

7 Se você tiver de dizer "não", esteja preparado para ignorar explosões de raiva, gritos, insultos, palavrões, suspiros, reviradas de olhos, xingamentos e outras reações destinadas a irritá-lo. Faça contato visual e diga, calmamente: *"O assunto está encerrado!"*, dê as costas e pegue um jornal. Mantenha seus olhos na página mesmo que as palavras não façam sentido. Se ela persistir, use a Técnica do Disco Riscado. Repita: *"O assunto está encerrado!"*, até que ela se aborreça e saia batendo o pé para o quarto.

8 Se ela quebrar sua regra e for a um encontro sem supervisão, dê uma Conseqüência apropriada, como, por exemplo, usar o telefone por 24 horas ou ficar de castigo nas noites do próximo fim de semana. Afinal, haja com cautela, mas não com paranóia. Espere que sua filha tenha aprendido a lição e dê a ela a oportunidade de conquistar novamente sua confiança.

Glossário

No decorrer do livro empreguei alguns termos e expressões que achei que você gostaria de saber um pouco mais a respeito de cada um. Então, dê uma olhada nas páginas a seguir e entenda melhor sobre:

Acordo Quando/Então

Advertência

Baú do Tesouro

Castigo

Chuva de Idéias

Comunicado

Conseqüência

Convite de Volta à Família

Desenvolvimento da Criança/Idade de Desenvolvimento

Diários, Agendas e "Livros" de Sentimentos

Elogio e Atenção Positiva

Escolhas

Espelho (Ouvindo com Atenção e Empatia)

Gráfico de Melhor Comportamento

Ignorar

Lembrete

Momento da Escolha

"O que você planeja fazer?"
Ordem
"Pegá-los Sendo Bons"
Punição
Reuniões de Família
Técnica do Disco Riscado
Temperamento
Teste

Acordo Quando/Então

Um Acordo Quando/Então é o acordo que oferece um privilégio em troca de um comportamento ou tarefa. É um meio de fazer com que as crianças cooperem sem muito conflito, porque receberão um privilégio como recompensa. Não é preciso insistir, porque cabe à criança realizar a tarefa. A única conseqüência de não realizá-la é não receber o privilégio.

O Acordo Quando/Então (também conhecido como Acordo Se/Então) é uma ótima ferramenta a ser utilizada antes que você precise recorrer às Advertências. Exemplos:

Quando terminar sua lição de casa, então poderá andar de bicicleta.

Quando conseguir acordar às seis e meia sem problemas, então poderá ir para a cama mais tarde.

Quando conseguir conversar em um tom de voz razoável, então lhe darei ouvidos.

Se brincar quietinho para que eu possa trabalhar um pouco, depois lerei uma história para você.

Advertência

(Por favor, leia Conseqüência também)

Uma Advertência é a promessa de uma Conseqüência que será aplicada a menos que seu filho assuma ou cesse determinado comportamento. Utilize uma Advertência quando seu filho começar um comportamento que é prejudicial para si ou para os outros. Use-a também quando seu filho ignorar uma Ordem e for preciso ir além para estabelecer os limites.

A menos que a situação seja perigosa, sempre procure dar uma Advertência antes da Conseqüência. (A exceção é bater em um irmão ou em alguém; para isso você pode usar uma "advertência constante".) A Advertência dá a seu filho a oportunidade de assumir a responsabilidade por seus atos. Ele pode seguir com o comportamento ou cessá-lo e receber um elogio.

Baú do Tesouro

O Baú do Tesouro é uma coleção de doces e presentinhos que podem estar embrulhados ou não. Ótimos itens para o Baú do Tesouro são: sobras baratas e não perecíveis de qualquer festividade, adesivos, pequenas caixas de lápis de cor, bolinhas de gude ou simplesmente pedaços de papel enrolados e amarrados em que você escreve atividades (tocar música, dançar com a mamãe por quinze minutos, pintar, ouvir uma história, ler uma história para a mamãe ou o papai, enviar um cartão-postal para os avós, passear com o cachorro, visitar a biblioteca, aprender a andar de bicicleta por vinte minutos, fazer colagem, alugar um filme, assar biscoitos, brincar de chazinho, convidar uma amiga para passar a noite).

Como recompensa por um ótimo comportamento, sua filha pode escolher algum item do baú. Você precisa estar disposta a cumprir sua parte imediatamente quando sua filha ganha o direito de escolher um tesouro.

Castigo

O Castigo é uma conseqüência portátil que serve a todos os propósitos. Do inglês *Time Out,* que vem da expressão *"time out from reinforcement"*, que significa um tempo em que a criança não terá resposta a suas reações. É melhor utilizar o Castigo como uma Conseqüência para um comportamento prejudicial ou destrutivo; não seria interessante usá-lo o dia todo, todos os dias, porque ele perderia seu impacto.

Vejamos se preenche os critérios de uma Conseqüência efetiva:

- Receber um Castigo tem forte *significado* para seu filho?
  Sim, a maioria das crianças até doze anos não gosta dos Castigos. Entretanto, evite dar castigos no quarto, pois eles podem se tornar uma diversão.
- Você tem o *controle*?
  Sim, se seu filho permanecer na cadeira de Castigo quando você mandar. Não, se seu filho se recusar a permanecer sentado.

- Você está *disposta* a aplicar o Castigo?

  Sim, é uma conseqüência firme, não é física nem excessivamente punitiva.

- O castigo tem duração *mínima*?

  Sim, se usar as instruções de um minuto para cada ano da idade de seu filho, ou menos.

Para usar um Castigo com eficácia, siga as instruções a seguir:

1. Escolha um local para o Castigo. Uma cadeira próxima virada para a parede funciona muito bem.

2. Decida o período de tempo para o Castigo. Um minuto ou menos para cada ano da idade de seu filho é suficiente.

3. Quando um comportamento destrutivo ou prejudicial tiver início, dê uma Advertência de Castigo. Diga: *"A regra é não bater em ninguém! Se você bater, ficará de Castigo. Vamos colocar isso em prática agora mesmo. Aqui está a cadeira. Se você bater em alguém eu direi: 'Alex, de Castigo na cadeira!'. Quando o Castigo terminar, avisarei que pode sair!"*.

4. Se o comportamento continuar, aplique o Castigo.

5. Se houver resistência com reclamações, mas a criança se sentar, ignore a discussão. Se a criança estiver parcialmente sentada, parcialmente deitada na cadeira ou escorregando em direção ao chão, ignore. Afinal, ela não está se divertindo.

6. Se a criança se recusar a ir para o Castigo, dê a ela uma Escolha entre um Castigo e uma Conseqüência. *"Ou você fica cinco minutos de Castigo agora, ou perde quinze minutos do programa de TV hoje à noite!"*.

7. Quando o Castigo terminar, não dê sermão, não faça agrados nem dê explicações, porque isso pode, na verdade, incentivar o comportamento negativo. Algumas crianças terão um comportamento ruim e tolerarão o Castigo na tentativa de conseguir os agrados esperados. Simplesmente, diga: *"O Castigo acabou!"*. Em poucos minutos você pode fazer um Convite de Volta à Família.

Chuva de Idéias

A Chuva de Idéias é uma ótima maneira de chegar a uma decisão familiar sobre um conflito. Primeiro identifique o problema e, depois, todos os envolvidos dizem suas idéias rapidamente sobre como resolvê-lo. Uma pessoa faz as anotações. Não deve haver comentários nem censura. Continue até que todas as idéias sejam ouvidas.

Revise a lista de idéias e retire aquelas que causarem problemas a qualquer membro da família e circule as que todos estiverem dispostos a tentar.

Escolha a idéia mais aceita e faça uma tentativa por cinco dias.

Marque uma nova reunião para avaliar seu sucesso.

Se não funcionar, experimente outra opção da lista.

Comunicado

Um Comunicado avisa sua filha de que ela deve parar o que está fazendo e partir para outra atividade. Faça um Comunicado com cinco, dez ou no máximo quinze minutos de antecedência antes que ela precise parar de brincar. Quando terminar o tempo, diga: *"O tempo acabou, temos de ir!"*. Elogie quando cooperar.

Se seus filhos ainda não sabem ver as horas, carregue um despertador (*"Quando o despertador tocar será hora do almoço!"*) ou dê uma medida que possam compreender (*"Quando terminar a sua vez de jogar você terá de parar!"* ou *"Mais quatro vezes no escorregador e iremos embora!"*).

Conseqüência

Uma Conseqüência é a perda de um privilégio:

- que tenha significado para a criança;
- sobre o qual você tenha controle;
- que você esteja disposta a cumprir;
- que tenha uma duração mínima.

Conseqüências Funcionais:

Ir para a cama de cinco a quinze minutos mais cedo.

Não assistir à TV durante a noite ou perder os dez primeiros minutos do programa favorito.

Não usar o telefone.

Perder o Momento da Escolha.

Parar de brincar e entrar em casa por um período de dois a dez minutos.

Não usar um brinquedo durante um período de dois a dez minutos.

Aplicar um castigo durante um período de um a dez minutos.

Procure sempre dar uma Advertência antes de aplicar uma Conseqüência (veja Advertência).

Convite de Volta à Família

Uma declaração neutra que permite que seu filho saiba que você não está mais brava e está disposta a tê-lo de volta à família. O Convite de Volta à Família é bastante útil depois de aplicar uma Conseqüência. Talvez a criança esteja emburrada, brava com você, brava consigo mesma, incapaz de aliviar a tensão. Faça uma pergunta: *"Pensei em fazer hambúrgueres para o jantar, Kenny, o que você acha?"* ou *"Depois do jantar quero alugar um vídeo. Você sugere algum filme que possamos ver todos juntos?"*.

Talvez seu filho não morda a isca, queira manter a birra por mais algum tempo, chegue a dizer coisas como: *"Odeio filmes (ou hambúrgueres)!"*. Se for o caso, apenas ignore o comentário. Não insista. Afaste-se calmamente e tente mais tarde. Pelo menos ele saberá que você não está mais brava e depois de algum tempo ele também não estará.

Desenvolvimento da Criança/Idade de Desenvolvimento

Todas as crianças atravessam estágios de desenvolvimento intelectual, social, físico e emocional. Cada criança se desenvolve em velocidade própria; pode ser precoce em alguma área, um pouco atrasada em outra e no momento certo em uma outra. Há certos estágios que sabemos que nossos filhos atravessarão e reconhecemos os sinais desses estágios. Uma criança de dois anos busca independência, uma de quatro anos quer o controle e assim por diante. Ajuda muito ler sobre o desenvolvimento das crianças. Muitos pais escolheram livros clássicos e leram que as crianças de oito anos são sensíveis às críticas e sentiram alívio por saber que o comportamento atual de seu filho é normal, na verdade, bastante adequado. Ainda será preciso lidar com as dificuldades do estágio, mas não é preciso se sentir sozinha.

Leia sobre a idade de seu filho hoje, sobre o ano anterior e o seguinte. Assim é possível ter uma boa idéia do que esperar e como está amadurecendo em relação às demais crianças.

Caso ele apresente uma dificuldade de desenvolvimento, é possível determinar sua idade de desenvolvimento lendo sobre diferentes idades e estágios. Se descobrir que seu filho de oito anos apresenta um comportamento social de uma criança de cinco anos, por exemplo, então terá uma base para entender o que é adequado esperar dele. Talvez possa encontrar amigos de cinco anos para ele.

Diários, Agendas e "Livros" de Sentimentos

Duas técnicas maravilhosas para ajudar os filhos com dores que não podem ser curadas:

- Mantenha um diário. Dê a seu filho mais velho um diário ou um livro em branco e sugira que ele escreva sobre os sentimentos dele. Com uma criança que não sabe escrever ou não consegue escrever tão rápido quanto seus pensamentos, faça você o papel do "lápis". Diga: *"Sou o lápis. Dite as palavras e as escreverei. Os lápis não falam, então também não falarei. Não ficarei brava nem darei risada!"*. Seu filho passará a adorar esse diário e descobrirá que se trata de um ótimo ouvinte para seus problemas. Você o flagrará relendo ou até mesmo compartilhando o diário com seus amigos.
- Faça um "livro" quando seu filho estiver magoado, tiver um problema ou sofrer uma perda. Para as crianças que ainda estão engatinhando, faça um livro de desenhos com duas páginas. Peça à criança que conte a história, escreva as palavras embaixo das figuras e grampeie as páginas. Faça novos livros para novas dores físicas e emocionais e antecipe mudanças na vida ou necessidades para suavizar traumas maiores como separação, divórcio ou morte de um ente querido (ou animal de estimação). Seu filho guardará os livros como tesouros e você o flagrará relendo-os e chorando de tempos em tempos.

Elogio e Atenção Positiva

Usando a Atenção Positiva ou o Elogio é possível melhorar o comportamento dos filhos. Os elementos da Atenção Positiva são:

- Vá até seu filho e faça com que ele venha até você.
- Entre em contato com seu filho, incline-se em direção a ele.
- Estabeleça contato visual.
- Elogie a ação ou o comportamento, não a criança. Nomeie o comportamento.
- Sorria, se sentir vontade.
- Seu tom de voz deve expressar como se sente bem em relação ao comportamento que está elogiando.
- Elogie imediatamente.
- Evite o sarcasmo e uma resposta do tipo *"Eu te disse!"*.

Exemplos de Elogio:

Parabéns por ter começado a lição de casa sem precisar de um lembrete!

Obrigada por encontrar seus sapatos tão depressa.

Agradeço por ser tão educada na casa da Vovó.

Escolhas

Uma Escolha é a oferta de duas opções. Por trás da oferta está a compreensão de que seu filho deve escolher uma ou outra. As escolhas são freqüentemente mais fáceis de aceitar do que uma ordem direta. Elogie seu filho quando ele fizer a escolha, mesmo que esteja relutante.

Ordem: *"Vá colocar o pijama!"*

Escolha: *"Você quer vestir o pijama listrado ou o vermelho?"*

Espelho (Ouvindo com Atenção e Empatia)

O Espelho é uma maneira de ouvir e dar um retorno que permite que seu filho saiba como ele se sente. Você tenta compreender a situação a partir do ponto de vista dele e confere seu entendimento (para garantir que entendeu certo).

Como pais, geralmente somos ótimos para dar razões e conselhos, mas o raciocínio não alivia as mágoas:

Filho: Por que não podemos ter um gatinho?

Pai: Não temos espaço para um gatinho.

Filho: Ele pode ficar em meu quarto.

Pai: Mas, querido, você não tem idade suficiente para cuidar de um gatinho.

Filho: Eu vou cuidar! Prometo que vou cuidar dele!

Dar conselhos tampouco ajudará a criança:

Filho: Quero um gatinho.

Pai: Que tal brincar com o gatinho do vizinho?

Filho: Eu quero o *meu* gatinho, papai.

Pai: Que tal irmos ao zoológico esse final de semana para ver os grandes gatinhos, os tigres?

Filho: Quero gatinhos pequenos.

A Técnica do Espelho permite que uma criança veja que seu pai aceita seus sentimentos, mesmo que isso não resolva a situação:

Filho: Eu quero tanto um gatinho.

Pai: Parece que você realmente quer um gatinho.

Filho: Quero mesmo!

Pai: Eu sei o quanto, querido, mas não podemos.

Filho: (chora)

Pai: Você está muito decepcionado, não está?

Filho: (chora ainda mais)

Pai: Você queria que eu pudesse resolver isso, não queria?

Filho: (afirma com a cabeça)

Pai: É terrível que se sinta tão triste.

PERCEBA que nesse último exemplo, o pai está espelhando os sentimentos do filho o máximo que pode. Quando você faz isso, está dando permissão para que seu filho se expresse ainda mais – portanto as lágrimas e a raiva virão antes que a criança se sinta melhor.

Gráfico de Melhor Comportamento

Um GMC é um registro em tamanho grande que faz seu filho se lembrar de suas tarefas diárias de maneira divertida, ao mesmo tempo em que lembra você de elogiá-lo pelas tarefas bem-realizadas. Aqui está como montar um GMC para a lição de casa:

1. Escolha cinco ou seis objetivos diários. Certifique-se de que três dos objetivos sejam tarefas simples. Inclua o tempo em que deseja que as tarefas sejam cumpridas, o número de lembretes que dará e se ele precisa de ajuda.

2. Organize os objetivos em um gráfico em ordem cronológica. O gráfico orientado para a lição de casa pode conter os seguintes comportamentos:
   - Trazer o caderno de lição de casa com a assinatura da professora.
   - Trazer todo o material necessário para fazer a lição de casa.
   - Terminar a lição de casa até as cinco e meia e guardá-la.
   - Mostrar a lição de casa para a mamãe e o papai e terminar as correções até as sete e meia.
   - Colocar a lição de casa na mochila antes de ir para a cama.

3. Durante dez dias escolares, sem o conhecimento de seu filho, registre seus sucessos no cumprimento das tarefas (Registros Privados). Se seu filho está recebendo pelo menos um terço das estrelas, seu gráfico representa um desafio, mas nada que vá além da capacidade dela, e já pode ser apresentado a ele.

   Se ele não for capaz de conseguir um terço das estrelas, então o gráfico está difícil demais. Substitua uma tarefa por outra bastante fácil, para aumentar o ânimo dele. Os estudos mostram que, se você elogia comportamentos fáceis de ser cumpridos (a criança tem facilidade ou a tarefa já está pronta), aumenta a realização de outros comportamentos.

4. Torne o gráfico público. Sente-se com seu filho e apresente o pôster. Diga: "*Esse gráfico é para ajudá-lo a fazer a lição de casa. Cada vez que você cumprir uma dessas tarefas, ganhará uma estrela. Podemos pendurar o gráfico na geladeira, em seu quarto, onde você quiser. Todas as noites darei uma pequena*

recompensa para cada estrela que tiver ganhado no decorrer do dia. Estou pensando em um centavo, uma bala ou uma figurinha!".

5. Para as crianças mais velhas, estabeleça um objetivo com base no número de realizações que você contou durante os Registros Privados. Se seu filho cumprir dez comportamentos na primeira semana e onze na segunda, você pode estar certa de que ele se sairá bem em dez tarefas. Você pode oferecer um acordo:

   Se você receber pelo menos dez estrelas, no sábado lhe darei quinze centavos por estrela que ganhar. Você ganhará 1,50 para jogar na loja de games.

6. Conforme atingir o objetivo e superá-lo, aumente as apostas na semana seguinte; ele pode ter um objetivo de onze ou doze estrelas.
7. Se a criança não conseguir cumprir um item, ignore. Se ficar chateada, simplesmente, diga: *"Amanhã você terá outra chance. Mas, veja bem, você conseguiu três estrelas hoje, não é ótimo?".*
8. Use um GMC durante três ou quatro semanas até que os novos hábitos tenham substituído os antigos. Use quantos gráficos forem necessários para conseguir cooperação.

Ignorar

Ignorar é uma técnica muito eficaz para reduzir os comportamentos que não agradam. Ao ignorar, você passa duas mensagens a seu filho: *"Este é um comportamento de que não gosto!" e "Você não receberá nenhuma recompensa ou atenção enquanto se comportar assim!"*. Para ignorar de maneira eficiente:

Afaste-se de seu filho.

Interrompa o contato visual.

Mantenha uma expressão neutra e inabalada (não demonstre raiva).

Não diga uma palavra.

Não demonstre emoções.

Ignore imediatamente – assim que o comportamento tiver início.

Elogie assim que seu filho cessar o comportamento ou der início a um comportamento agradável.

Você pode avisar seu filho de que vai ignorá-lo com um Comunicado:

Não conversarei com você até que consiga usar um tom de voz normal.

O assunto está encerrado.

Quando pedir educadamente, discutiremos o assunto.

Enquanto estiver utilizando esse tipo de linguagem, meus ouvidos estarão fechados.

Lembrete

Talvez seja necessário dar um Lembrete a seu filho mesmo quando já deu uma Ordem bastante clara. Tudo bem. Pense nisso como uma pequena ajuda extra de que todas as crianças precisam. Simplesmente repita a Ordem em tom de voz calmo e firme. Não fique brava, não ponha lenha na fogueira. Você se surpreenderá com o fato de que apenas um ou dois Lembretes aumentam muito a obediência. Se precisar usar mais do que dois, nesse caso é manha; sinta-se à vontade para usar uma Advertência de Conseqüência.

Momento da Escolha

O Momento da Escolha é o período diário de cerca de vinte minutos em que a criança pode escolher qualquer atividade que quiser. Os pais podem fazer parte do Momento da Escolha se quiserem, para que a brincadeira não seja solitária, mas a escolha é da criança. Você pode estabelecer alguns limites (nada de tintas antes da hora de dormir, por exemplo). Uma mãe que tinha poucas opções de Conseqüências utilizou o Momento da Escolha para que tivesse a oportunidade de retirar porções de cinco minutos quando necessário.

Desligue a TV ou perderá cinco minutos do Momento da Escolha.
Termine sua lição até as sete e meia e você terá mais tempo no Momento da Escolha de hoje.

"O que Você Planeja Fazer?"

Essa é uma pergunta simples que coloca a responsabilidade de resolver o problema nas mãos de seu filho. "O que planeja fazer?" implica que "precisa haver um plano" ou "se não puder pensar em um plano, eu pensarei". Se seu filho responde de maneira cooperativa a essa pergunta, então você não precisará usar muitas Ordens diretas.

Aqui está um exemplo do uso de "O que planeja fazer?" com uma criança que está assistindo à TV no sábado de manhã, às nove e meia:

Pai:	Leslie, o jogo que você quer ver começa só ao meio dia e você tem tarefas a fazer esta manhã. Como planeja fazer isso?
Leslie:	Farei assim que terminar esse programa, pai.
Pai:	Tudo bem. Posso lembrá-la às dez?
Leslie:	Pode.
Pai:	Ótimo.

Se parece milagroso demais para ser verdade, experimente. Funciona muito bem com algumas crianças.

Ordem

Uma Ordem é uma declaração simples para iniciar ou terminar um comportamento. Para dar uma Ordem efetiva, é preciso estabelecer contato visual com seu filho, nomear o comportamento que você quer que se inicie ou cesse e falar em um tom neutro e firme. Dê um Lembrete ou dois, se necessário, mas nunca sermão.

Não faça a pergunta: *"Você pode recolher as roupas do quarto agora?"*.

Dê uma ordem firme: *"É hora de recolher as roupas do quarto!"*.

"Pegá-los Sendo Bons"

Essa frase é usada pelo Programa de Treinamento de Pais da UCLA (Universidade americana). A idéia é que, em qualquer situação, os pais devem tentar dar valor ao bom comportamento do filho, enquanto ignora os maus comportamentos (a menos, é claro, que seja prejudicial). Isso porque qualquer atenção de um pai é, na verdade, uma recompensa que incentivará o comportamento.

Suponha que você passou a tarde insistindo para que seu filho limpasse o quarto. Finalmente, ele sai batendo o pé em direção ao quarto, resmungando. Você não gosta desse comportamento, mas pelo menos ele está indo em direção ao quarto, possivelmente para limpá-lo. Quando reconhecemos esse "pequeno passo na direção certa" e damos valor com um simples "Obrigada!", podemos "pegá-los sendo bons". Vimos muita negatividade, mas encontramos algo positivo em tudo isso e elogiamos os esforços de nossos filhos.

Nesse caso, é bom verificar o filho depois de alguns minutos e, se houver realmente qualquer esforço para limpar o quarto, pode-se encorajá-lo ou oferecer ajuda.

Punição

A Punição é uma Conseqüência para o mau comportamento em que os pais exigem que a criança permaneça em casa por certo período de tempo. Podem ser incluídas restrições quanto ao uso do telefone ou a outros privilégios domésticos. A Punição geralmente se torna uma opção quando os filhos são mais velhos e podem brincar fora de casa com os vizinhos, ir para a casa dos amigos, andar de bicicleta pelo bairro etc.

Para ser uma Conseqüência efetiva é preciso que ela preencha os seguintes critérios:

- A punição é *significativa* para a criança?

  Sim, se sua filha gosta de sair e quer se reunir com as amigas. Talvez não seja se o maior prazer de sua filha for ficar em casa e ler ou brincar no quintal.

- Você tem *controle* sobre isso? Sua filha cumprirá a punição em casa?

  Sim, se ela permanecer em casa quando receber essa ordem. Não, se sua filha pular a janela ou sair às escondidas pela porta do fundo.

- Você está *disposta* a dar essa punição a sua filha?

  Sim, se não acarretar problemas maiores. Talvez não, caso sua filha transforme sua vida em um inferno quando está presa em casa.

- A punição tem duração *mínima*?

  Sim, caso se trate de uma tarde ou um período de 24 horas, possivelmente o final de semana para um comportamento mais sério. Não, se o período for de uma semana ou mais.

Reuniões de Família

(Veja também Chuva de Idéias)

Se os pais desejam que seus filhos participem da solução de um problema, marquem uma Reunião de Família. Os passos em uma Reunião de Família são:

1. Defina o problema. Certifique-se de que as questões por trás são identificadas, isto é, aquilo que torna a questão um problema. Exemplo:

   Problema: seu filho de nove anos tem escapado do pátio da escola depois das aulas para ir a uma loja de conveniência com outros garotos comer alguma coisa.

   Problemas para os pais: a fuga, a falta de segurança na loja de conveniência, a quebra das regras escolares, a falta de faixas de pedestres, a falta de supervisão.

   Problemas para o filho: todos os amigos fazem isso e ele tem fome depois da escola.

2. Chuva de Idéias para solucionar o problema. Garanta que as preocupações de todos foram levadas em consideração. Ainda nesse exemplo:

   - Os pais podem mandar lanches para o filho e os dois melhores amigos dele.
   - Pode-se entrar em contato com a loja de conveniência para que ela se livre dos mendigos e bêbados que ficam do lado de fora.
   - Os pais podem pressionar a comunidade para que sejam instaladas faixas de pedestres.
   - Os pais podem telefonar para os pais dos outros garotos e conversar com eles.
   - Os pais podem telefonar para a escola e exigir melhor supervisão.

3. Selecione a solução ou as soluções com as quais todos concordem.

4. Experimente as soluções e estabeleça uma data para uma reunião de acompanhamento, dentro de três a cinco dias, para avaliar os progressos.

Talvez essa família decida que haverá uma Conseqüência caso o filho saia da escola sem permissão, os pais mandarão um lanche grande o suficiente para compartilhar com os amigos, ligarão para a escola e exigirão melhor supervisão e pedirão que um aluno da sexta série acompanhe os garotos em uma sexta-feira, a cada quinze dias, para que tomem sorvete em uma lanchonete próxima com ambiente mais seguro.

5. Faça uma reunião de acompanhamento. Se o plano estiver funcionando, dê continuidade. Caso contrário, escolha outra solução de sua "Chuva de idéias" para experimentar por certo tempo.

Técnica do Disco Riscado

A Técnica do Disco Riscado é a simples repetição de uma Ordem quando seu filho fica insistindo e reclamando com você. Permaneça calmo e não mude a mensagem. (Se seu filho fizer uso da TDR com você, prefira usar uma Advertência de Conseqüência.) Exemplo:

Xavier: Por que não posso ir ao shopping com o Billy?

Pai: Xavier, já disse "não" várias vezes e já expliquei o porquê. O assunto está encerrado.

Xavier: Isso não é justo! Por que não podemos conversar sobre isso?

Pai: O assunto está encerrado.

Xavier: O pai do Billy disse que tudo bem. Ele confia na gente.

Pai: O assunto está encerrado.

Xavier: O que poderia dar errado? O que poderia acontecer?

Pai: O assunto está encerrado.

Xavier: Ótimo! Muito obrigado! (sai batendo o pé)

Temperamento

A maneira com que uma pessoa reage ao meio ambiente. Algumas pessoas são calmas, outras são bastante nervosas. O Temperamento é inato e muitos pais farão declarações como: *"Ele sempre foi um bebê bonzinho, desde que nasceu!"*. O Temperamento pode não mudar, mas o comportamento sim.

Teste

Um Teste é exatamente isso, uma tentativa. Você consegue praticar sua capacidade de estabelecer limites ao mesmo tempo em que seus filhos conseguem praticar um comportamento razoável. Você sabe que se trata de um teste, eles, não.

Um motivo pelo qual os pais são menos eficientes em público é sua falta de confiança. Preocupam-se com o que os outros estão pensando; estão certos de que não deve ser nada de bom. Talvez nem tentem estabelecer limites por medo de falhar. Você se sente segura e confiante ao aplicar o teste, porque sabe exatamente o que fará a cada momento.

Vamos aplicar um Teste ao problema das Súplicas no Supermercado:

1. Planeje uma ida às compras. Faça uma lista pequena e escolha itens que não sejam essenciais.
2. Lembre seu filho sobre a regra: *"Nada de ficar pedindo coisas enquanto fazemos compras!"*. Avise que, caso viole a regra, você o levará para casa imediatamente.
3. Entre no supermercado e elogie todos os ótimos comportamentos que forem apresentados (ou até mesmo os regulares!).
4. Se ele violar a regra, avise calmamente que está indo embora. Deixe o carrinho com o gerente e saia da loja. Ignore os protestos, aceite as desculpas graciosamente e caminhe em direção ao carro.
5. Entregue seu filho a seu esposo, babá ou vizinho e retorne ao supermercado.

O Teste deve estabelecer sua credibilidade. Suas Regras e Advertências terão mais força e você se sentirá mais confiante em público.

Índice Remissivo

CADASTRO DO LEITOR

- Vamos informar-lhe sobre nossos lançamentos e atividades
- Favor preencher todos os campos

Nome Completo (não abreviar):

Endereço para Correspondência:

Bairro: Cidade: UF: Cep: –

Telefone: Celular: E-mail: Sexo: F M

Escolaridade:
- 1º Grau
- 2º Grau
- 3º Grau
- Pós-Graduação
- MBA
- Mestrado
- Doutorado
- Outros (especificar): ____________

Obra: **A Resposta é Não - Dizer "não" sem ter que voltar atrás – Cynthia Whitham**

Classificação: **Parenting**

Outras áreas de interesse: ____________

Quantos livros compra por mês?: ______ por ano? ______

Profissão: ____________

Cargo: ____________

Enviar para os faxes: **(11) 3079-8067/(11) 3079-3147**

ou e-mail: **vendas.mbooks@terra.com.br**

M. Books

M. Books do Brasil Editora Ltda.

Av. Brigadeiro Faria Lima, 1993 - 5º andar - Cj 51
01452-001 - São Paulo - SP Telefones: (11) 3168-8242/(11) 3168-9420
Fax: (11) 3079-3147 - E-mail: vendas.mbooks@terra.com.br

Impressão e acabamento:
GRÁFICA PAYM
Tel. (011) 4392-3344